市民エネルギーと地域主権

新潟「おらって」10年の挑戦

佐々木寛 著

大月書店

市民エネルギーと地域主権　目次

序章　エネルギーの民主化と地域主権――「おらって」10年の歩み　7

第1章　市民エネルギーの現場から　29

第2章　エネルギーから「せいじ」を考える　77

第3章　〈3・11〉から何を学ぶのか　109

第4章　「文明転換」への思考　141

第5章　次世代とともに　181

［初出］　1～5章「おらって定期配信めるまが」連載「おらって便り」No. 1～100（2020～2023年）。テーマ別に再構成しているため連載順とは異なる。
補論『世界』2020年1月号（岩波書店）

序章

エネルギーの民主化と地域主権

——「おらって」10年の歩み

私は、新潟の小さな私立大学で教えるかたわら、ひとりの市民として、これまで約10年間、「おらってにいがた市民エネルギー協議会」の仲間のみなさんと一緒に活動してきました。本書のタイトルにもある「市民エネルギー」とは、市民が市民パワーでつくりだす再生可能エネルギーを意味します。

本書は、その活動の試行錯誤のなかで、私が折に触れて会員向けに書いたメッセージが元になっています。経験上、市民活動を続けていくうえで大切なことは、「いったい何のためにその活動をするのか」という、大げさに言えば活動の「哲学」のようなものであり、それが常時メンバーに共有されることだといえます。会員へのメッセージは、主にそのために書かれました。

活動を振り返れば、たくさんの失敗や後悔もあります。しかし、それも含めて、２０１１年の東京電力福島第一原子力発電所事故の後、新潟ではどのような市民によるリアクションがあったのか、また何が争点になったのか、それらを記録にとどめておくことは重要だと考えました。

まずは、私たちの活動の経緯からお話ししましょう。

〈3・11〉のインパクトと「おらって」

新潟には、世界最大の原発、東京電力柏崎刈羽《かりわ》原発があります。2011年3月11日の震災で過酷事故を起こした、あの福島第一原子力発電所と同じタイプの原発です。当時、新潟にも隣県の福島から数千人規模の人々が避難してきました。ですから新潟県民にとって、原発をめぐる問題はごく身近な問題で、他人事ではありません。

あの原子力災害（以後〈3・11〉と呼びます）は、私の人生も変えました。私はひとりの（国際）政治学者、平和研究者として2000年に新潟に赴任してから、それまでずっと、核兵器などの国際安全保障問題と原子力の「平和利用」（原発）問題とをつなげて考える理論枠組みの構築（私は「原子力政治（Atom-politics）」と呼んでいます）に取り組んでいました。しかし、正直まさか隣県で、チョルノービリ（チェルノブイリ）原発事故と同様の事故が起こるとは夢にも思っていませんでした。

あのとき、自分が生きてきた「戦後」の意味や、日本社会が置き忘れてきたものなど、ほとんどすべてが暴露されたようにも思いました。私は、高度成長期の東京圏で、光化学スモッグの中で喘息の発作に苦しみながらも、アインシュタインに憧れて高校の理数科に入学し、科学技術が切り拓く明るい未来を信じていたノーテンキな若者でした。核戦争の脅威や世界的な格差問題などを扱う平和研究者となっても、そのカタストロフが今日明日起こる切迫した「現実」であるという認識は、実際に弱かったと思います。不覚でした。

あれこれ煩悶《はんもん》しながら、転機となったのは、友人の新聞記者である森澤真理さんの紹介で、「にいがた市民大学」の連続講座（2013年開講）の担当者になったことでした。講座名は迷わず『核の時代』とはいかなる時代か――ヒロシマからフクシマまで」としました。そして、そのゲスト講師のおひとりが、今回この本にも解説を寄稿してくださった、環境エネルギー政策研究所（ＩＳＥＰ）所長の飯田哲也さんでした。

時同じくして、新潟市の環境政策課でも、市内で再生可能エネルギー事業を推進するために飯田さんに相談をもちかけており、飯田さんのご提案で、環境政策課のプロジェクトと私とがつながることになりました。2014年に船出した「一般社団法人おらってにいがた市民エネルギー協議会」（以後「おらって」）の活動は、この「にいがた市民大学」に集まった市民有志と、新潟市環境政策課とが共催して取り組んだ「市民発電勉強会」が出発点となります。

その後、約9か月にも及んだ「勉強会」は、まさに「おらって」誕生というビッグバンのエネルギーを蓄える場でした。毎週のように議論し、議論は深夜の酒席にまで及びました。市民のみならず、行政職員も含め、私たちの剝き出しの情熱を支えたのは、〈3・11〉を二度と起こしたくない、そして地球環境をこれ以上損なわないためにも、次世代に新しい希望のエネルギーを残したいという強い思いでした。やがて「勉強会」は、実際に市民発電所を設立する「準備会」となっていきました。

「Learning by doing（実践しながら学ぶこと）」のよろこび

そのころから、「Learning by doing（実践しながら学ぶこと）」が「おらって」の流儀になっていきました。ちなみに「おらって」は、新潟の方言で「私たち」という意味です。2014年9月23日のキックオフ集会（次頁写真）では、それまでに関係を築いてきた行政関係者、銀行員や議員、研究者や学生を含め市民約300名が参加しました。そして、私のゼミ生たちがファシリテーターとなってワークショップを実施し、「おらって」の目標や使命を確認しあいました。

行政と市民との関係性だけでなく、あらゆる業種や年代の境界を越えて、ひとつの〝想い〟に向けたパートナーシップを構築することができたのは、ファシリテーションの力です。2005年ごろから、大学の授業として全国のファシリテーターのプロを招き、ファシリテーションの技

「おらって」キックオフ集会（2014年9月23日）

術を学ぶ試み（国際交流ファシリテーター事業）を続けていましたが、それが活かされました。

しかし、なにぶんにも素人《しろうと》集団ですから、一般社団法人をつくるのも、株式会社を立ち上げるのも、億単位のお金を金融機関から借りるのも、すべてが初めてです。その道のプロ、とくに先のＩＳＥＰのみなさんの助言を受けながら、一歩一歩「夢」を実現していきました。

２０１５年６月には、実際に融資を受けて事業を行う特別目的の「おらって市民エネルギー株式会社」を設立し、同年８月には新潟市とパートナーシップ協定を締結しました。市に土地や屋根を提供していただく代わりに、その収益の一部を市内の環境エネルギー教育に還元するという約束です。そして同年９月には、「おらって」第１号の太陽光発電所を「新潟市黒埼市民会館」の屋上に設置、売電を開

「おらって」の第１号市民発電所（黒埼市民会館）

始しました。

さらに２０１７年８月には、第二期太陽光事業のため「おらって市民ソーラー株式会社」を設立し、結果的に２０２４年現在までに、全県で約40か所の太陽光発電所（低圧）を完成させることができました。計算するとその電力量は合計約２２００kWとなり、一般家庭で言えば約４４０世帯分に相当します（世帯あたり最大電力ピーク１００Ｖ50Ａ（５kW）を想定）。ちなみに、これを火力発電と比べた場合、１年で約１３００トンのCO_2を削減することになり、杉の木約９万５０００本の吸収量に相当します。さらに現在は、大手銀行とも協力し、津南地域に約７００kWの小水力発電所の建設を計画中です。

素人の市民としてはまさに大事業ですが、仲間と力を合わせて「夢」を実現していくという、いわば〈自己効力感のよろこび〉に加え、事業を行ううえで、ひとつひとつの実践が自分にとってまったく新しい知見を得ることにつながる、まさに〈学びのよろこび〉こそが事業の推進力となりました。

「地域主権」の思想

もちろん、一基約100万kWの原子力発電所に比べれば微々たる挑戦かもしれません。しかし、このような「ご当地エネルギー」の試みが、全国各地に広がっていくとどうなるでしょうか。「おらって」も幹事を務める「全国ご当地エネルギー協会」だけでも約50団体が加盟していますが、おそらく全国では数百（あるいはそれ以上）の同様の試みが存在するでしょう。

原発は中央集権的で地域分断型のエネルギーです。私の研究テーマでもありますが、原子力発電は歴史的にも、軍事主義や秘密主義（非民主主義）と密接につながっています。最近は、原発はCO_2を出さないクリーンなエネルギー源だというキャンペーンがなされていますが、政治学的には、化石燃料と同じで、他から収奪し、周辺に犠牲を強要する、戦争や植民地主義ときわめて親和的なエネルギーにほかなりません。

一方、他人の土地を掘り返すことなく、空から降りそそぐエネルギーを地域ごとに利用する再生可能エネルギーは地域分散ネットワーク型のエネルギーであり、その意味で、いわば「平和のエネルギー」とも言えます。しかも、この古くて新しいエネルギーは、中央というより、まずは地方が豊かになる「自治に寄与するエネルギー」でもあります。

たとえば、新潟県では年間約7400億円、新潟市では年間約2600億円の光熱費が地域外へ流出します（産業技術総合研究所の歌川学氏による試算）。もし、これを外からの電力や化石燃料に頼らず、地産地消の再生可能エネルギーでまかなえば、これだけのお金が外に逃げずに地域に循環することになります。新潟県の年間予算が約1兆3000億円ですから、その半分以上のお金が地域に巡るようになり、新しい産業と雇用が生まれます。近年、「限界集落」や「消滅自治体」など、地方の衰退が話題になりますが、再生可能エネルギー事業による魅力的な仕事をたくさん地域につくりだすことで、新しい問題解決の突破口を開くことができます。

そもそも私が「おらって」をつくった動機のひとつには、私のゼミの卒業生たちが、新潟で地元のために誇りをもって豊かに暮らせる新たな仕事をつくってみたいということがありました。卒業生たちに聞けば、地方にはそのような仕事は正直多くはないようです。心や体を壊してしまうような若者も少なくありません。この「仕事の非人間化」は全世界的な傾向でもあるようです。私は、地方の疲弊も、若者の疲弊も、実は世界大の構造的な問題なのではないかと考えています。グローバルな市場主義経済と新自由主義政策は、概して世界の〈中心〉だけが潤《うるお》うしくみで、〈周辺〉に行けば行くほど、みずからを資本に売り渡し搾取される、いわば植民地主義的な構造ができあがっています。より簡単に言えば、「自由化」や「民営化」を進めれば進めるほど、地方や若者、そして弱者が疲弊するというしくみです。

こういった巨大な問題にどう立ち向かうかを考えてみた場合、本書のタイトルにもなっている「地域主権主義（ミュニシパリズム）」ということばが参考になります。この国では長らく、仕事（利益）や恩恵は常に〈中央〉からもたらされ、そのため地方は〈中央〉にいつも媚《こ》びへつらうのが当然だ、という権威主義的な心の習慣が根づいてきました。学校教育もその方針に沿ってなされ、〈中央〉の価値を遵守する、可能な限り従順な子どもたちを量産することに努めてきました。

もちろん、そのやりかたで、国全体ではうまくいっていた時期もありました。しかし、グローバルに展開した新自由主義的な世界では、もう〈中央〉は地方を守ってはくれません。水道をはじめとする公共サービスも市場に売り渡され、お金のない人、儲からない地域に住む人などには届かなくなります。私たちが信じてきた〈中央〉による政治は、もはやかつての「公共」を隅々まで提供できなくなりつつあるのです。

そしてそれは、この「公共」をいちばん担うべき、この国の政治家や官僚たちが、もはや私利私欲の代名詞になってしまっている惨状にもあらわれています。また、そんななか、多くの庶民もまた「自分だけは〈中央〉に少しでも近づいて生き残りたい」と思うのが人情かもしれません。

しかし、そのような「いまだけ、カネだけ、自分だけ」の世界では、私たちは真に幸福に生きていくことができないでしょう。

そうではなく、私たちは、地域でともに生きる道を探らなければなりません。地域に主権を取り戻し、住民たちがみずからの力で「公共」や「公共財（コモンズ）」をつくりだす、新しい民主主義の試みが「地域主権」の挑戦です。伝統的に市民社会が強固なヨーロッパでは、すでにバルセロナ（スペイン）やナポリ（イタリア）、グルノーブル（フランス）などで興味深い先行事例が見られますが、考えてみれば日本も、近代化以前は地域分散型の社会でした。さまざまな地域主権や自治の知恵が、地元の歴史や伝統の中に眠っているかもしれません。

立ちはだかる壁

その後「おらって」は２０１８年３月に、新潟市に続き村上市とパートナーシップ協定を締結し、同年５月には新潟市中央区東中通に念願の事務所を開設しました。そして翌年の夏には、主として再生可能エネルギーを売電する株式会社パルシステム電力と協働し、県内初の地産地消の自然エネルギー供給を実現しました。それまで「おらって」は、固定価格買取制度（ＦＩＴ）を利用して、原子力や火力も扱う東北電力に全量売電していましたが、その一部をパルシステム電力に移行することによって、新潟の市民でも、パルシステム生協に加入し契約すれば「おらって」の電気を利用することができるようになりました。ほんの小さな一歩ですが、地元紙『新潟日報』（2019年6月16日朝刊）にも一面で紹介され、新潟にとっては大きな一歩でした。

しかし、「地域主権」達成の道のりは、まだ始まったばかりです。当然ですが、電気をつくって売るだけでは、実際には思った以上に画期的な社会変化はみられませんでした。「おらって」は、市民と行政が上手に協働するという意味では教科書的な存在だといわれますが、雇用を大量に生み出したり、バルセロナの地域政党のように公営住宅をつくったり、また、「おらって」が常に手本とするデンマークのように、地域全体に熱供給システムを構築したり、そんな新たな「公共財（コモンズ）」はいまだ構築できずにいます。素人の市民が片手間でやってみせると豪語したものの、倫理（理念）と利潤を両立させる地域事業（ビジネス）を成功させるのは、そんなに甘いことではありません。

一方、単に再生可能エネルギーを普及・拡大させるだけなら、すでに首都圏や海外の大企業がたくさんのメガソーラー（1000kW以上）を建設しており、日本政府もたくさんの巨大な洋上風力発電所を日本海沖に計画中です（政府は2020年に「洋上風力産業ビジョン」で、2030年までに1000万kW、2040年までに最大4500万kWの導入目標を掲げています）。しかし、これらの巨大な再生可能エネルギー群は、しばしば「地域主権」とは何の関係もありませんし、逆に原発と同様に、地方にとっては中央集権で中央依存的、そして時に暴力的なものにすらなってしまいます。

さらに日本政府（経済産業省）は、明確に原子力の温存を優先しているため、地域的な再生可能エネルギー事業には制度的な逆風ばかりを吹かせています。国際的にも日本は、再エネ産業でどんどん立ち遅れていますが、その最大の理由はこういった政府の基本姿勢にあるといえます。そうなると、もう政府を変えるしかない、という結論になっていますが、ひとつの市民エネルギー団体だけではどうにもなりません。

「地域循環共生圏」の夢

けれども、活路はあります。「地域主権」の実現に向かって、「おらって」はできることから始めました。まずは具体的な「地域」を見定め、時間をかけてその地域の多様な課題に耳を傾けました。私の勤める大学の近くには、歴史ある岩室《いわむろ》温泉街がありますが、2018年から地域住民との交流を始めました。環境省の補助金なども利用しながら、数多くの試行錯誤をくりかえし、2020年3月に「新潟にしかん地域循環共生圏協議会」を立ち上げました。ここには「おらって」や大学だけでなく、岩室温泉の自治会、旅館組合、観光協会、地元NPOなども参加し、それに新潟市が連携協力するというかたちです。さらに、産学連携の観光開発をめざして、日産自動車の協力も得ながら、大学と地域を結ぶ電気自動車を走らせたりもしました。

「地域循環共生圏」というのは、もともとお役所がつくったことばですが、自律分散型の自然エネルギーが多様なビジネスを創出するだけでなく、豊かな自然環境と調和したライフスタイル、そして災害にも強い街をつくるという斬新な未来イメージを喚起します。もちろん、「言うは易し、行うは難し」で、通常はまず地域が前に進むための原資そのものが不足しているので、現実には多くの困難があります。しかし、地域が将来向かうべきヴィジョンが鮮明化し、住民に共有されてゆけば、小さな歩みをひとつひとつ積み重ねることで、いつかは実現に近づく日がやってくると思います。

岩室温泉郷

私はかねてより、エネルギーに加え、食（農）、教育、ケア（医療・福祉）、そして安全という、人間が生きていくうえで不可欠な五つの基本要素を、できる限り地域コミュニティで循環的に供

生きる上で必要な５つの要素をできる限り地域で自立させる

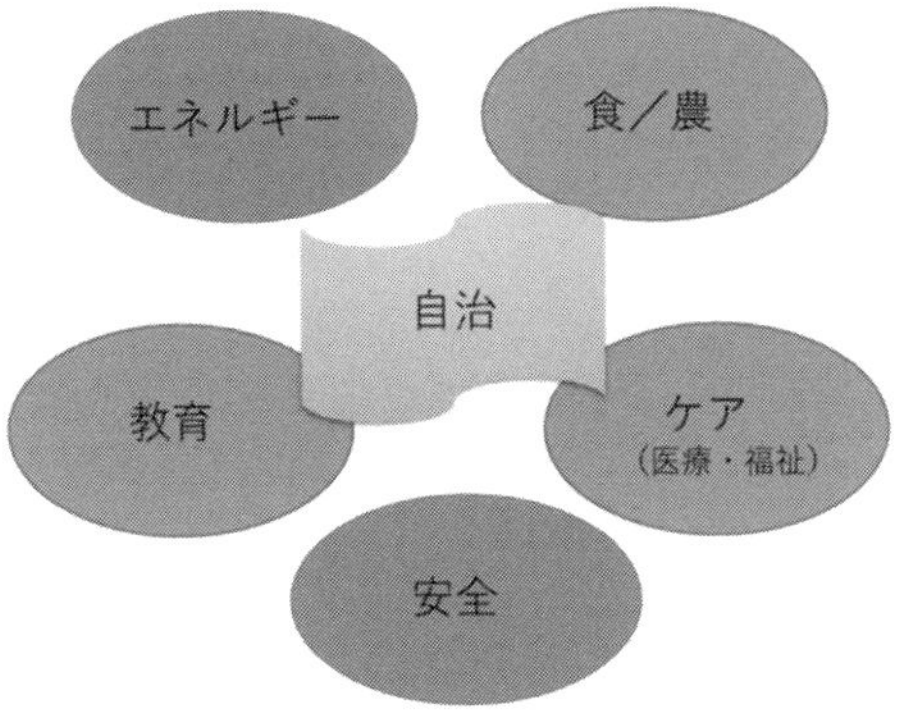

給できるようになることが、地域の自治や自立のために実質的な必要条件ではないかと考えてきました（上図）。これらは言うまでもなく、とくに近代以降は、もっぱら国家が国民に保障してきたものでしたが、先にも述べたように、それをできるだけ身近な地域でまかなうことが必要な時代になっていると思います。また、それを実現するためには、これまで蓄積されてきた科学技術の成果なども十二分に投入されるべきでしょう。

そして、こういった無数の自立的な地域が、開かれたかたちで横につながりネットワーク化することで、政治の世界にも真の民主主義のための下部構造が生まれるのではないかと考えています。ちなみにこれは、かつてマハトマ・ガンディーが思い描いた世界とも似ていますが、これは国家や政府の否定ではなく、「地域主権」と「補完性の原則」に基づく新しい国家像の提案です。またそれを、ごく理論的に拡張すれば、こういったローカルな自治コミュニティによるネットワークが、県境や国境をも超え、やがて「トランス・ローカル」な社会空間を創出するでしょう。これは、いま起こっている資本による「上からのグローバル化」ではなく、人間の社会的な連携の力による「下からのグローバル化」と言うことができるかもしれません。私、そして「おらって」は、最終的には台湾や韓国、そして中国などの隣国の市民をも包摂した「東アジア自然エネルギー共同体」の創造を夢見ています。それがもし実現すれば、将来には核兵器と原発が集中する東アジアの平和を実現するための礎《いしずえ》になるかもしれません。

「政治」の発見

「おらって」の活動は、これまで見てきたように、再生可能エネルギーを媒介にして「地域主権」や民主主義を可能にするための基本条件をつくりだすためのものでした。「おらって」にとって、いちばん大切な活動である、次世代のための環境エネルギー教育やインターンの育成もその一環です。インターン卒業生の中には、すでに人生を賭して「地域循環共生圏」のために活動している若者もいます。

しかし、「おらって」だけではどうにもならない、差し迫った問題もあります。たしかに「おらって」は、新潟市が陸上風力発電所を建設する際に、それをどこに造っていいのか悪いのかを市民参加で考える「ゾーニング」のワークショップを担当し、また市の古い実験用の風車が撤去される際にもアドバイスを提供するなど、いわゆる行政への政策提言（アドボカシー）も行ってきました。しかし、日本政府が原発再稼動を進めたり、再エネ事業を抑制する政策を推進したり、あるいは隣国との戦争準備を始めたりすることには、別の手段で異議申し立てをする必要があります。

政府がいわゆる安保法制を強行採決した２０１５年、私は仲間と一緒に「市民連合@新潟」を立ち上げました。詳しくは、その顚末を書いた拙著『市民政治の育てかた』（大月書店、２０１７年）を読んでいただければ幸いですが、期せずして、それから私は政治の世界にも巻き込まれることになります。２０１６年には新潟で参院選と知事選の二つの選挙があり、「おらって」の活動と並行しながら、私は選挙対策本部の中心メンバーとして活動しました。もちろん、それも初めての経験であり、ただがむしゃらに取り組んだだけなのですが、実践に飛び込んでみて初めてわかることも多くありました。参院選の争点は、安保法制と、地方の農業を脅かすＴＰＰ（環太平洋経済連携協定）の是非、そして知事選の争点は原発再稼動問題でした。これらは、いずれも〈中央〉対〈地方〉の構図となる争点でした。

私は当時、日本の政治には「保守」と「革新」という横軸だけでなく、「中央」と「地方」という縦の軸があると思っていました。そして実際、二つの選挙は、どちらも縦軸の要素が強かったといえます。自民党支持層や保守層の票が割れて、それが野党側である私たちの最大の勝因となりました。私にとっては、「おらって」の活動も、市民連合で野党共闘のために尽力するのも、結局は同じ問題意識が根っこにありました。それは、現代の肥大化したグローバルな資本主義＋国家主義や中央集権主義では、21世紀の望ましい世界は生まれないという確信でした。

その意味で、ＴＰＰ問題も、立憲主義を破壊した戦争準備も、原発再稼動も、日米関係やグローバルな文脈で考えれば基本的な共通点がありました。そしてもちろん、ひとりの市民として、未来を食いつぶすこれらの動向には、政治的な「ＮＯ」を表明せざるをえませんでした。私にとっては、未来社会をつくるための「おらって」の活動がもっとも基本的な市民活動で、市民連合の選挙活動は、緊急事態としてやむをえず取り組んだものでした。しかし、私が「市民政治」と呼んでいる後者の市民活動も、民主主義や「地域主権」にとって不可欠な活動であることは言うまでもありません。

「エネルギー・デモクラシー」と「原発市民検証委員会」

原発再稼動をめぐる事実上の住民投票となった２０１６年の知事選で勝利し、新潟県で初めて誕生した革新系知事の米山隆一さんと一緒に取り組んだのが、新潟県の原発検証委員会のプロジェクトでした。新潟県にある世界最大の原発について、それを県独自の予算で、県民みずからが再検証することに、「地域主権」や地方自治の観点から、私は歴史的な価値を感じていました。そして、その価値に真っ先に気づき、総括委員会の委員長をお引き受けくださったのが、名古屋大学名誉教授の池内了《さとる》先生でした。

私は、大きく「エネルギー・デモクラシー」と呼ぶのですが、文明や社会の血液ともいえるエネルギーのありかたを、一部の政策エリートや専門家が決めるのではなく、可能な限り民主的な熟議にゆだねることが大切だという考えです。また、地域分散型の再生可能エネルギーへの「エネルギー転換」（エネルギーの民主化）が、逆に政治における意思決定の民主化をうながす場合もあるでしょう。すでに述べたように、「おらって」の活動は、この「エネルギー転換」を地域から行うことで、間接的に民主主義に寄与しようとする試みです。これに対して、原発再稼動の是非を争った県知事選挙は、エネルギーのありかたを投票という直接的なかたちで諮《はか》る民主主義的な試みだと言えます。そしてさらに、エネルギーのありかたを、投票ではなく、時間をかけた専門的な検証や熟議にかけることで「民主化」しようとするのが原発検証委員会の試みです。私にとっては、いずれも「エネルギー・デモクラシー」という新しい政治理論の範疇《はんちゅう》に含まれた重要な試みでした（より詳しくは巻末の「補論」をお読みください）。

この検証委員会は、県内外からさまざまな分野の専門家を多数集め、真摯な議論を約5年間積み重ねました。また地元メディアもそれを熱心に報じました。しかし、2018年に知事が替わり、しだいに政府から再稼動への圧力が高まると、委員会にも県からさまざまなかたちでブレーキがかかるようになりました。私が所属していた「避難委員会」も、当局より取りまとめを急かされて、避難計画にとってもっとも重要な、複合災害を想定したシミュレーションの検証ができませんでした。そして最終的には、池内委員長も、最終総括のための委員会がまったく開けないまま、2023年3月に事実上の解任に追い込まれました。

「新潟の宝」ともいえる県独自の検証委員会が、政治的な理由で、画竜点睛を欠いたまま閉鎖されるという事態を受け、私たちは、たとえ自治体行政の手から離れても「エネルギー・デモクラシー」の精神と機能をなんとか残す方法を考えました。参考にしたのは、かつてベトナム戦争の際に、哲学者のバートランド・ラッセルやジャン＝ポール・サルトルらが行った「民衆法廷」です。国家や行政が平和や正義のための十分な責任を果たせない場合、市民が立ち上がり「真理の生成」（サルトル）を行うというものです。私たちは、池内先生を中心に、元委員だった専門家の協力も得ながら、2023年6月「原発市民検証委員会」を立ち上げました。そして、これまでの専門家たちの議論や県の姿勢などを踏まえた市民との意見交換のために、約半年かけて県内11か所でキャラバンを行い、また、池内先生による最終報告書も発表しました（池内了『新潟から問いかける原発問題』明石書店、２０２４年をご参照ください）。

２０２４年の元日に発生した能登半島地震では、新潟の一部でも大きな被害が出ましたが、複合災害時における避難の問題が再浮上しました。国も県も、あらためて避難問題について真摯な検証を迫られているようです。けれどもこの問題はすでに、県が解散してしまった避難委員会において、私が再三、議論の必要性を指摘していた問題でもあり、とても残念です。原子力災害時における避難の問題は、「市民検証委員会」でも引き続き、当事者である住民のみなさんとともに考えていきたいと思っています。

池内先生もしばしば使う「トランス・サイエンス問題」ということばがあります。科学では判断がつかない問題、という意味です。そのような問題は実際に世界にはたくさんあって、科学者や専門家といえども、独占的にものごとの善し悪しを判断できないということです。〈３・11〉は職業専門家への懐疑が生じたできごとでもありました。とくに、多くの関係者や知識分野がかかわる原発のような複雑な問題については、専門家に「お任せ」するのではなく、個々の市民が当事者として議論に参加し、徹底的に熟議を重ねて社会的な決定を導く必要があります。やはり、原子力をめぐる問題は、すぐれてデモクラシーの本質が問われる問題であるということです。

さいごに――本書の成り立ちと共通テーマ

本書は、冒頭でも述べたように、私が主に市民エネルギーの活動をしながら「おらって」の会員向けに書いたエッセイが元になっています。ですからこの後、本章で触れたような、選挙や原発検証委員会における政治的立場を鮮明にするような話はほとんど出てきません。しかし私自身、これらの活動はいずれも同時期に並行して行っており、またどの活動も同じ思いに発しています。その点もご理解いただきたく、この序章を少々長めに書き下ろしました。ただ、気がつけば、本書のタイトルにある「地域主権」、すなわち自治とデモクラシーという政治的テーマこそが、私がずっとこだわってきたテーマであったことがわかります。読者のみなさんには、以下、個別のテーマに分かれた文章を読みながら、この共通テーマについても可能な限り思考をめぐらせていただければ幸いです。

また、巻末に収録した補論は、雑誌『世界』（2020年1月号、岩波書店）に寄稿した論考を加筆修正したものです。読んでいただければ、私の問題意識をより深く理解していただけると思います。

第1章 市民エネルギーの現場から

新しい社会

「おらって」の設立趣意文の冒頭には、東日本大震災時の原発事故を踏まえ、「今まさに私たちは、これまで築いてきた社会のあり方や『豊かさ』そのものを根源から問い直し、未来の世代に引き継ぐための新しい社会のあり方を模索しなければならない時代を迎えていると言えます」という一文があります。「おらって」の使命は、この「新しい社会」の建設にあります。

けれども、この「新しい社会」とはどんな社会でしょうか？　原発事故に加え、地球温暖化にともなう度重なる自然災害、新型コロナウイルスの猛威、天然資源問題を遠因とする戦争なども経験し、私たちはしだいになんらかの根源的な社会変革が必要だと気づきつつあります。けれどもその具体像は、まだはっきりとしているわけではありません。ただわかっているのは、現在の危機が、既存の政治システムや生活様式を続けていくだけでは、けっして克服することができない「文明論的」な危機であるということです。

設立趣意文には、続いて「この『新しい社会』は、それぞれの地域の現実に即して市民が自らの力で発案し、創り出す必要があります」とあります。それゆえ、私たちが住む新潟で、新潟の現実に即した社会の新しいありかたを模索していかなければなりません。新潟にはどんな可能性があるでしょうか。

まずは、エネルギーのありかたから出発し、私たちの生活にとってもっとも基本となる食料（農）、教育、ケア（医療・福祉）、安全などのありかたを問い直すことから始めましょう。それから次に、エネルギー＋食料（農）、エネルギー＋教育、エネルギー＋ケア（医療・福祉）、エネルギー＋安全という二つの組み合わせが考えられます。それぞれの組み合わせに発する無限の可能性がありますが、相互に三つ以上組み合わせ、いずれも「自治」の論理で再構成することで、「新しい社会」は少しずつ見えてくるかもしれません（21頁の図）。

現在「おらって」がすすめる「地域循環共生圏」のプロジェクトは、その挑戦のひとつであることは言うまでもありません。

〈「おらって」設立趣意文〉

２０１１年3月11日の東日本大震災とそれにともなう福島の原子力災害は、「天災」あるいは「人災」であると同時に、日本の戦後や近代文明のあり方そのものを問い直す「文明災」とも言われました。またこの災禍は、中央が潤うために地方が負担やリスクを背負うという、中央と地方との不平等な関係も浮き彫りにしました。今まさに私たちは、これまで築いてきた社会のあり方や「豊かさ」そのものを根源から問い直し、未来の世代に引き継ぐための新しい社会のあり方を模索しなければならない時代を迎えていると言えます。

この「新しい社会」は、それぞれの地域の現実に即して市民が自らの力で発案し、創り出す必要があります。またその実現のためには、地域経済、金融、地方行政、消費文化やライフスタイル、あるいは地域の安全保障に至るまで、きわめて包括的な課題に取り組まなければなりません。そこで、このような課題に適切に対応するものとして、現在世界中で注目されているのが、市民によるエネルギー事業(市民エネルギー)の試みです。「文明の血液」とも言えるエネルギーのあり方を、その生産から流通、消費に至るまで、市民自らが考え、実践する「市民エネルギー」の試みは、市民による包括的な社会分野への参加を可能にするため、世界中で民主主義そのものの深化と拡大を促しています。

この「市民エネルギー」の実践は、さらに地域に新たな雇用や財の流れを生み出し、地域の内発的な発展を促します。ヒト・モノ・カネの流れが中央に集中する経済・社会構造を徐々に変更し、真に自立可能な地域への転換を促します。21世紀は中央集権システムが世界中で限界を迎え、真の地方分権や地域の自立が求められる時代となりましたが、地方が実質的な活力をとりもどすためには、中央のみならず、地方自らが創意工夫し、自立のための具体的な実践を積み重ねていく必要があります。またさらに、それら地域ごとの実践が相互に連帯することで、この国に実体的かつ強靭な経済的・社会的基盤を創り出すことが可能となります。

幸い新潟は、豊かな自然に恵まれています。私たちは、ここ新潟でも「市民エネルギー」の試みをスタートさせる必要性を確認し合いました。年齢、職業、信条、関心などにおいてきわめて広範な市民が多数集まり、新潟における「市民エネルギー」の可能性について今日まで協議を積み重ねてきました。その結果、私たちは、このような広範な参加者がエネルギーや地域社会のあり方に関して恒常的に協議する場がきわめて重要であることも再確認しました。

このような経緯から、今日ここに私たちは、新潟の自然や伝統を活かしつつ、未来世代のいのちが尊重される新しい地域社会の姿を実現するため、「一般社団法人 おらってにいがた市民エネルギー協議会」の設立を宣言したいと思います。

平成26年（２０１４年）12月21日

おらってにいがた市民エネルギー協議会　発起人一同

地域循環共生圏

これまで「おらって」は、新潟市西蒲区の岩室温泉地区で、環境省の補助金も利用しつつ、いままでつながりのなかった多くの方々との関係を紡いできました。そして今度は、その人的ネットワークを基盤に、地元の大学や日産自動車、新潟市など、さらに多くのアクターを巻き込んで「新潟にしかん地域循環共生圏協議会」を設立することになりました。

「地域循環共生圏」ということばは、ちょっと難しいのですが、「ローカルＳＤＧｓ」とも呼ばれ、地域で、エネルギー・農業・教育・産業・福祉・交通などの各分野を包括的に連携させ、持続可能で自立的な地域社会を創りだすという構想です（左頁の図）。まずは、岩室温泉の観光事業と新潟国際情報大学の教育研究を、日産の電気自動車（ＥＶ）で結びつけます。そこから、学生たちや若者の力を借りながら、新しい事業や価値を創りだそうと思っています。

地域の産業や経済も、人口減で徐々に落ち込み、希望がなかなか見出せません。この新しい時代の地域を創出しようとする「おらって」の挑戦は、ささやかな試みですが、その意味でも無限の可能性を秘めていると思っています。

日産自動車との共同プロジェクト

「おらって」は単なる発電事業会社ではありません。最終目標は〈3・11後〉の来るべき「新しい社会」を創りだすことにあります。これまで微力ながらも、西蒲原／岩室温泉地域の人的ネッ

環境省作成「地域循環共生圏（日本発の脱炭素化・SDGs構想）」のイメージ図

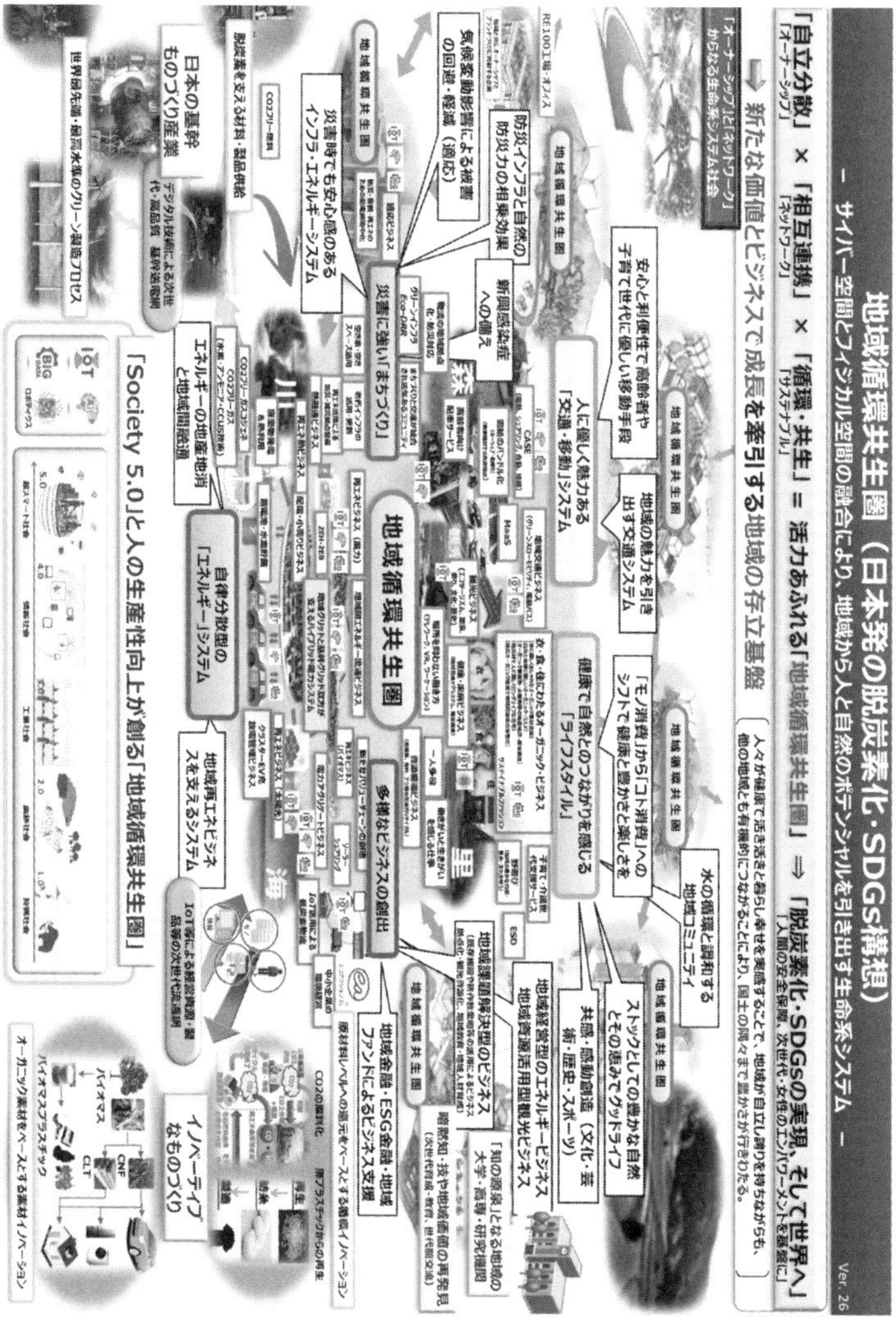

出典：環境省（https://www.env.go.jp/seisaku/list/kyoseiken/pdf/kyoseiken_02.pdf）

トワークづくりにも努めてきました。将来この地域が、豊かな自然環境とともに繁栄する「地域循環共生圏」として、幸福で持続可能な新しい地域社会のモデルになることを夢見ています。

そしてこの呼びかけに、日産自動車も呼応してくださいました。日産の電気自動車（ＥＶ）を新しい地域づくりに活かせないか。私が働く大学も参加して、教育＋観光＋ＥＶで新たな化学反応が起きつつあります。このような、内発的で開かれたイノベーションを「オープン・イノベーション」といいます。偶然の出会いや、多様なニーズが思いがけない創造性を生み出します。

ところで最近、某有名自動車会社が、新しいテクノロジーを投入した巨大な街そのものを造ってしまったというニュースを聞きました。自動車会社も、移動手段だけでなく、もはや街づくり全体を手掛けなければならなくなったという現実を明示する試みとして高く評価できます。また、「あくまでも人間中心」というコンセプトも、いちばん重要なことを外していません。ただ、より大切なのは、ここで中心となる「人間」は、地域や土地から引き離された単なる〝ヒト〟ではなく、長い時間をかけつくられてきた伝統や社会の文脈の中に息づく〝ニンゲン〟でなければならないということです。私たちの「新しい社会」は、巨大な資本やテクノロジーによって上からつくられるのではなく（それはまさに「植民地主義的」なやりかたです）、地域の人々による、地域の歴史に根差した、日々の無数の対話や地道な実践の中から生み出されるのだと思っています。

おらって地域循環共生圏プロジェクト

産学連携観光開発スキーム
●通常時のシェアリングに加え産学を結ぶ移動手段として活用。
●シェアリングの需要に連動して、温泉、大学でリーフを相互活用。
＊土日祝日大型連休時は温泉で観光用に、平日は教職員学生の移動手段として活用。
＊eシェアモビステーションは温泉側に設置。
NISSAN
NISSAN
eシェアモビシステムの提供
e‥シェアモビ
e-share mobi
岩室温泉
IWAMURO-ONSEN, NIIGATA CITY
新潟国際情報大学
Niigata University of International and Information Studies
活性化のための
地域内共同学習
域内観光利用
観光研究開発Mtg.
の学生移動手段
土日祝日大型連休時
温泉で観光利用
教職員学生
シェアリング用
平日は教職員学生の移動手段として活用。

【追記】その後このＥＶプロジェクトは２０２２年をもって終了しました（したがって、このプロジェクトに言及した二つのエッセイは当時の内容です）。多くの学生が地域に出かけ、地域と大学との関係性が深まったという成果はあったものの、ＥＶ車を利用する一般利用客が極度に少なく、プロジェクトを維持するための財政的な限界を迎えました。この種のプロジェクトは常に、資金の壁にぶつかります。他方で、補助金や助成金頼みでも持続可能性がありません。市民エネルギーと資金の問題は永遠の課題ですが、この地域の内と外をつなぐモビリティ（移動手段）という課題は、今後さらに重要性を増すと思います。再生可能エネルギーや脱炭素とモビリティを連結させる試みは、日本各地で少なくありませんが、このテーマ自体まだ緒に就いたばかりです。

「新潟にしかん地域循環共生圏協議会」の総会風景

「地域」とは何か

先日、「おらって」が事務局を務める「にしかん地域循環共生圏協議会」のワークショップを、岩室温泉街にある道の駅「いわむろや」で行いました。岩室の温泉旅館組合長さん、温泉観光協会長さん、岩室自治会長さん、お店を経営するおかみさんなどの地元の方々と、私が勤める新潟国際情報大学の関係者、「おらって」関係者、そして新潟市職員の方などなどが参加し、地域課題の「棚卸し」作業を行いました。

その結果、おぼろげに見えてきたのは、岩室「地域」とひと口に言っても、温泉旅館と地元の商店街、また街場に通う人々にとっての住宅地（ベッドタウン）としての岩室、さらにはその外側に広がる農業地域とが、互いにかなり別々の機能とニーズをもっており、そもそも「地域」としての一体感に欠けているという事実でした。

よく「よそ者、若者、バカ者」が地域を変えると言いますが、「よそ者」がひとつの「地域」だと思ってひょっこりと入っていっても、そこには得てして何重もの亀裂やパラレルワールド（並行世界）が存在しているのだということを再認識できました。言うまでもなく、「地域」を上から見た地図で勝手に定義してかかわろうとしても、真に地域の現実に根差したコミュニティ・ビルディング（共同性の構築）はできません。

岩室温泉街は、かつて開湯３００年のお祭りの際に「日本一暮らしやすい温泉地」という標語をつくったということです。「観光」と「暮らし」という一見矛盾したニーズがひとつになっているようで少し戸惑いますが、このフレーズにもこれからのヒントがありそうです。私たちが追求する「地域循環共生圏」も、単に経済活動だけでなく、自然環境やエネルギー循環も広く含んだ「地域」概念なので、これまで機能別に分断されてきた個々の「地域」を横につなげていくという、より包括的な「地域」イメージの可能性を切り拓くかもしれません。

「地域」とは何か。それを常に意識しながら、今後も手探りの挑戦をすすめたいと思っています。

「おらって」は環境省の地球環境基金の助成も受けながら、インターン制度をつくり、次世代の地域リーダーの育成も行ってきました。先日は、その個々のインターンによる最終の成果発表が行われました。いずれの「成果」もインターン一人ひとりの成長が感じられ、運営委員のシニアのみなさんも目を細めながらの報告会でした。

「地域」の発見

中でも、Mくんの岩室地域における社会調査の実践報告は充実していて、その内容にはとても驚かされました。Mくんによれば、いかなる地域づくりにおいても、その地域に住む人々のニーズに根差していなければ本物にはなりえません。それで、彼が実際に活動に取り組む岩室地域のニーズをまずは探ろうというのが彼の目的でした。言うまでもなく、これから岩室を含む西蒲地域に、新たに「地域循環共生圏」を創りだそうとする「おらって」にとっても、それはいちばん重要なことになります。

Mくんは、生涯のテーマである〝まちづくり〟を実践し学ぶために、「おらって」が活動を展開する岩室地域に、若者が集まる居場所「ともや」を設立し、実際にそこに住み込んで活動しています。しかも、地域にしっかりと根を下ろすために、在籍していた東京の大学から新潟の大学への転学も決意しました。このようなMくんの行動の一貫性や徹底性は調査にも表れていて、彼は新潟の寒い1月に、約240軒もの家を実際に訪ねて、アンケート用紙を回収したといいます。訪問して5時間おばあさんにつかまってしまった話や、住んでいるのに知らない道がたくさんあった話など、そのフィールドワークの豊かな報告内容に、みなさんが惹きこまれました。

地域の住民はかならずしも気候危機と自分の生活のありかたとを結びつけられていない、もっとも身近で切実な問題は、家庭ゴミの問題と移動手段（モビリティ）の問題である、というのが調査の「結論」でしたが、Mくんはその結果に基づいて、次はコンポスト（堆肥づくり）を媒介に環境問題に取り組むプロジェクトを立ち上げるといいます。まことに頼もしい限りです。

「地域」を自分たちの願望やイメージでとらえるのではなく、まずしっかりとそのありようを見据え、そのニーズを体感で把握すること。それをあらためて教わったと思います。「おらって」の無限の可能性も感じることのできたインターンの報告会でした。

〝まちづくり〟とは何か？

「おらって」恒例のエネルギーカフェ（新潟市との共催）が開催されました。会場も、オンライン上でも大盛況でした。テーマは〝まちづくり〟。リレートーク形式で、冒頭は、移動スーパー「とくし丸」で有名な村上稔さん（株）Tサポート代表取締役社長）にお話をしていただきました。

「買い物難民」ということばが使われていましたが、社会からの分断を余儀なくされる、とくに過疎地に住む老人たちを丹念に足で探し出し、移動スーパーでつないでいくことで田舎（コミュニティ）の消滅を食い止めようとする試みです。村上さんのお話から、高齢化社会という現実を受け入れながら、それを今後どれだけ豊かにできるのかという、現代でもっとも基本的な課題をあらためて考えました。

たしかに、グローバル＋IT社会ではかならずしも救いきれず、こぼれ落ちていく存在があります。また、むしろグローバル＋IT社会が分断をもたらしているという現実にも気がつきます。グローバル化で地球がひとつにつながっているように見えるのですが、実は逆に人はバラバラに分断されているのかもしれません。

環境都市として有名なドイツのフライブルク。子どもたちが道で遊んでいる（2015年２月、筆者撮影）

会の冒頭あいさつで私も触れたことですが、パンデミック（感染爆発）は全地球的な事象であるにもかかわらず、人間性の本質である人と人との触れ合いを忌避させます。「新しい生活様式」は、世界中とオンラインでつながりながら、実は耐えがたい孤独や寂しさを大量生産しているかもしれません。老人だけでなく若者や子どもたちも、ごく狭い競争（管理）空間に閉じ込められ、真に公的なつながりに参加する機会を与えられず、社会や希望から分断されています。〈政治〉は一部の利権ムラの住人たちにハイジャックされているように見えます。〈経済＝お金〉もまた、人をつなぐよりも分断を促進しています。たとえば、原発事故で支払われている大量の税金や賠償金も、もとより失われた故郷を蘇らせることなどできるはずもなく、むしろ人々の分断に手を貸しているようです。

世代、地域、ジェンダー、階級、民族をめぐって人々がどんどん分断されていくグローバル化社会の中で、するべきことはただひとつ。それは、人間性にとってもっとも大切な〈公〉や〈共〉や〈絆〉をふたたび取り戻すこと。現代における「まちづくり」とは、つまりは自然も含め、破壊されたコミュニティ（共同性）を何とかして再構成する努力なのではないか。今年のエネルギーカフェでは、そんなことを考えていました。

Less is more

先日、久しぶりにデンマークを訪れたので、今回はそのことを少し。今回の訪問はコペンハーゲンのコミュニティデザインや建築がテーマでした。建物の壁がすべて太陽光パネルのコペンハーゲン・インターナショナル・スクールや、スキー場などのレジャー施設を兼ね備えたごみ焼却場のアマー資源センターなどを訪れました。

デンマークのみならず、北欧デザインを基本的に支える要素として、「Less is more（そぎ落と

校舎の壁面がすべて太陽光パネルのコペンハーゲン・インターナショナル・スクール

す豊かさ）」という美意識があげられます。家具も建築も、食器や自転車やレストランの内装にいたるまで、社会全体にこのセンスが浸透しているように思います。あくまでも〈生活や生命＝ライフ〉の機能に即して、それ以外の余計なものを合理的にそぎ落とすことによって立ちあらわれる〝美しさ〟です。お茶や俳句を愛する日本人にもよくわかる感覚かもしれません。

けれども、依然として日本の政治や経済を中心とした娑婆《しゃば》の世界は、「より多く、もっともっと！」という論理で動いているようです。自分の家や研究室の中を見ても、手がつけられないくらいモノで溢れかえっています。新しい社会を実現するには、まずみずからの美意識や身のまわりから変えていかなければならないと反省するのですが、なかなかうまくいかないのが実情です……。

ボランティアと仕事のあいだ

「おらって」は、素人の市民が県内に40か所もの市民発電所を建設し運営している、全国でもごく稀な事業体です。国内にもっと大きな太陽光発電所はたくさんありますが、それはどれもがほとんど大きな会社や行政、あるいは事業のプロ集団がつくったものです。他方で、一般市民が力を合わせた同様の試みも全国にたくさんありますが、「おらって」ほど大掛かりな事業を成功させているところはほとんどないと言ってよいでしょう。いわば、〈事業性と民主性の両立〉が「おらって」の特徴です。「おらって」が「ごく稀な事業体」だというのは、そういう意味です。

しかしこの両立の道は、実際はきわめて困難な細い道です。発電所を建設する際にも、「素人市民がよってたかって事業をするなんて、およそ成功するわけがない」と何度言われ、嘲笑されたかわかりません。また、取引先から「いちいち市民の合議に基づく会社など、決定が遅すぎて仕事にならない」、あるいは「誰が最終責任を取るのかわからない会社などに融資できるわけがない」といったご指摘を何度受けたかわかりません。

「おらって」の活動は現在、ほぼすべて市民の〝ボランティア〟が支えています。しかし、やっていること、またやろうとしていることは、気軽な〝ボランティア〟の域を超え、しっかりした責任のある〝仕事〟が要求されます。もし市民の〝ボランティア〟が、一般企業には当たり前のこの〝仕事〟の部分をおろそかにしてしまうと、その〝仕事〟は、たとえばそれを生業とする専従職員がいるとすれば、彼／彼女に過度に集中してしまうことになります。

それゆえ「おらって」の試みは、二つの「常識」を打ち壊す挑戦であるとも言い換えることができます。二つの「常識」とは、企業などの一般事業体における〝仕事〟の「常識」、そしてもうひとつは、これまでの市民的な〝ボランティア〟の「常識」です。前者では、給料（お金）をもらうためには、少々非人間的で理不尽なことも我慢しなければならないという「社会人」としての厳しい「常識」、後者では、市民的な〝ボランティア〟はマネーゲームの中でリスクを冒したり手を汚したりせず、資本主義の競争原理や業績主義とは極力手を切るべきであるという「常識」を意味するとしましょう。

「おらって」の活動は、いずれの「常識」も乗り越えなければならないと思っています。いわば、私たちは〝仕事〟と〝ボランティア〟のあいだにある、きわめて細い道を行くことをめざします。そして、それによって人間的で市民的な〝仕事〟のスペースを、まさに現行の経済社会にも創りだしたいと思っています。言うまでもなく、そんなことを簡単にできるわけがありません。実際、ほんとうに大変です。しかし、私たちがめざす「新しい社会」の建設にとって、新しい企業のありかた、新しい労働のありかたを実現してみせることも、必須の条件にほかなりません。

酷暑の太陽光発電

明らかに地球規模の気候危機に直面するなかで、新潟の夏は今年も記録的な酷暑に見舞われました。気温36度や37度といっても、もはや誰も驚かなくなってしまいました。気象庁のホームページで見ると、観測史上の日本最高気温は浜松と熊谷の41・1度。しかし、それ以下ざっと10位までを見ても、いずれもこの5年以内の記録です（新潟県は2018年、中条の40・8度で第8位）。

実は太陽光発電パネルは、あまり暑すぎると効率が上がりません。あまり気温が上がらない、涼しい気候の中での晴れ間が太陽光発電には最適なのです。太陽光パネルの発電効率は表面温度が25度で最大になり、それより1度上昇するごとに0・5％ずつ発電量が低下していくといわれています。ですから、真夏は最大時に比べ、多いときで数十％発電量が低下する可能性もあります。しかも炎天下の野建てのソーラー発電所は、何よりも草刈り業務がとても過酷になります。いずれにせよ酷暑は、太陽光事業にとってそれほど良い条件ではありません。

しかし、昼間からクーラーをつけっ放しにしなければならない日でも、まさにそういう日こそ、太陽光の電気がふんだんに供給されます。わが家の屋根置き太陽光パネルも、日中、室内の冷房すべて、加えてすべての電気使用量を補って余りある量の発電を行います。家中のクーラーをフル稼働にしても、１kWも送電線から電気を買わずに済んでいる、むしろ余った電気を売電して儲けているというのは、なんだかうれしい気分になります。そして、これに蓄電池を加えれば、昼に余った電気を夜にも使えるので、近い将来は、各家庭が送電線に頼らず自立したエネルギー供給源を確立できる（「オフ・グリッド」が実現する）日も来るのではないかと思っています。

一方、太陽がギラギラ照っている日には、太陽光発電の電気が「余る」というので電力会社による「出力抑制」が行われ、せっかくの発電能力が台無しになるという事態も起こっています。これは政府の決定で、２０２１年より無制限・無補償の抑制となっており、10kW以下の家庭用のものはまだ適用外ですが、一定程度以上の、たとえば「おらって」の市民発電所なども、一方的に電力の買い取りが制限され、損失をともなう事態となっています。

日本、とくに九州電力の抑制規模は顕著で、それに対して環境エネルギー政策研究所（ＩＳＥＰ）は２０２０年に提言を出していますが[*1]、最大の問題は、石炭火力や原子力を優先する旧来の硬直した給電システムが温存され、再生可能エネルギーを主軸にするための柔軟性がいまだ構築できていないという、エネルギー政策の根本的な後進性にあります。

再生可能エネルギーが「余る」から「捨てる」というのは、やっぱりもったいないですね。酷暑でも甲子園で野球を強いられる高校生たちや、経済的に苦しくてクーラーを節約しているような人たちには、真っ先に太陽光エネルギーの電力で暑さをしのいでもらいたいと思ったりもします。

＊1　環境エネルギー政策研究所「九州電力自然エネルギー出力抑制への9つの提言」https://www.isep.or.jp/archives/library/12913

パートナーシップ

「おらって」の発電所の多くは、新潟市の土地や屋根をお借りして運営されています。それは新潟市との「パートナーシップ協定」に基づいています。「おらって」は村上市とも同様の協定を結んでいます。「おらって」の最大の特徴は、自治体と緊密な関係をつくりながら公的な事業を追求することにあります。

ところで「パートナーシップ（partnership）」とは何でしょうか。分野によっていろいろな定義があるようですが、重要なのは、各パートナーが〝対等な立場で協働する〟というところにあります。日本の近代史において、これまで「公共」の仕事をする場合は、行政がいわば「お上」として、そのほとんどを一手に担って責任を負うという場合が多かったのですが、そのような「公共」のイメージはもう過去のものになりつつあります。ＮＧＯ（非政府組織）やＮＰＯ（非営利組織）の劇的な増加もともなって、「公共」は市民社会と行政が対等な立場でともに創りあげていくものであるという「新しい公共」の考えかたがコモン・センス（共通理解）になりつつあります。「おらって」の場合も、その設立当初から新潟市の職員のみなさんと〝一緒に〟事業を育んできたという経験があります。これからも、時にはお互いを叱咤激励しながら、新潟の明るい未来をつくるという共通の思いをかたちにしてゆければと思っています。

「環境教育」とは何か

前述の通り、新潟市の土地や屋根をお借りしている「おらって」の発電所は、そこで生まれた利益の一部を、新潟の環境教育の促進に供することが、新潟市とのパートナーシップ協定に謳《うた》われています。ですから「おらって」にとって、次世代を育む環境教育は「一丁目一番地」の活動であるといえます。

環境教育チームのリーダーは、副代表を務める横山由美子さんです。横山さんをはじめ環境教育チームのみなさんを中心に、今年は環境省の補助金も利用しながら、３名の地元大学生インターンを育成する事業に取り組んでいます。3名のインターンはいずれも、公的な貢献に深い関心をもつ、とても優秀なみなさんです。たくさんの講座に参加したり、仕事を手伝ったりするなかで「おらって」のエネルギー事業を学んでいます。将来が楽しみです。

さて、そもそも環境教育って何でしょうか？　「生きる力」を謳う、文科省の新しい学習指導要領でも、科目をまたぐ中心的な領域として環境教育が位置づけられています。かねてより「ESD（持続可能な開発のための教育）」や、最近ではより広く「SDGs教育」など多くの取り組みもなされてきました。しかし、環境教育とはいったい何を学ぶものであるのかということについて、実は誰もが納得する明確なコンセンサスがあるわけではありません。そもそも「環境」が何を含むのかによって、その教育の方向は異なってくるでしょう。環境教育は依然として、まさに現在進行形で創られつつある領域だといえます。

「おらって」の環境教育では、とくにエネルギー教育と、そこに派生する「社会のありかた」に着目した教育内容の構築をめざしています。人間社会の営み、すなわち「文明」のありかたを問うことなしに「自然環境」については語れません。現代の環境教育は、実践もさることながら、まずは思想的、哲学的な深い議論が基礎になければなりません。「自然」「環境」「文明」の根源的な関係性について、徹底した学びが必要です。

村上の集中豪雨

先日（２０２２年8月）の東北・北陸の集中豪雨では、新潟の村上市や関川村等でも大きな被害がありました。「おらって」は村上市とパートナーシップ協定を結んでおり、小学校の環境教育等で定期的に訪れているので、メンバーも固唾を飲んでテレビのニュースに見入っていました。土砂崩れや冠水が相次ぎ、村上市・関川村だけで１６００軒以上の住宅被害が出ただけでなく、全体の２割近い１０００ヘクタール以上の水田で土砂が流れ込み、岩船産のコシヒカリにも深刻な被害が出ました。また、被災地域ではしばらく断水が続き、復旧作業にも影響を与えました。新潟市でも被害が出て、東区に住む私のゼミ生の車も浸水して廃車になってしまったので、計画していた合宿も中止になりました。いずれにせよ、私たちは一夜のうちに広範囲の住民の生活が無茶苦茶になってしまう集中豪雨の現実を、ふたたび目の当たりにしました。

最近、「気象庁の予想をはるかに上回る記録的〇〇」等というフレーズを何度も見かけるようになりました。つまり、前例では推し量ることのできない規模の自然災害が、毎年のように起こっています。今年の夏に各地で見られた「体温超え」の異常気温も含め、気候危機はすでに、どんなに無関心な市民にとっても肌感覚で無視できないものになってきました。

しかし他方で、それが私たち人間の「文明」生活の結果であるという認識や自覚をもっている市民は、まだそれほど多くないのかもしれません。私たちの日々の活動のありかたが、またそのツケが、ブーメランのように私たちに襲いかかっているというイメージや実感は、まだ十分に普及していないように思えます。

集中豪雨で川や用水路が氾濫《はんらん》したり、上下水道が機能不全になったりすることは、まずは災害行政の不備として責められるのかもしれませんが、根源的に問題なのは、化石燃料や資本の論理を優先する私たちの産業社会そのもののありかたであるというコモン・センス（共通感覚）が広がる必要があります。しかも、ヨハン・ロックストローム博士が提唱する「ホットハウス・アース理論」（産業革命前に比して気温が2度上昇すると地球温暖化の暴走が起こり、人間にはまったくコントロールできなくなるという仮説）を持ち出すまでもなく、時間はそれほど残されてはいません。

二つの疑問

2020年の1月17日、四国電力の伊方原発3号機が、広島高裁の判決によって運転停止に追い込まれたことがニュースになりました。そしてその後すぐ（1月25日）、同原発内の電源が一時喪失し、同じ3号機でなんと43分間も核燃料プールが冷却できない状態にあったことが明らかになりました。このことは、四国電力がみずから発表したのではなく、ずいぶん経ってメディアの取材により明らかになったことです。同様のできごとは、ごく頻繁に、原発を運転するほぼすべての電力会社で起こっています。

このようなニュースを聞くたびに、二つの根本的な疑問が浮かびます。ひとつめは、「人類はほんとうに核エネルギーをコントロールできるのか」ということ。そしてもうひとつは、「深刻な事故の際に、電力会社はほんとうに事実をありのままに伝えるのか」ということです。これまでの経験から、いずれの疑問に対しても「１００％大丈夫」などということは、どうやら言えないようです。

小水力発電への挑戦　その1

「おらって」はこれまで、50kW未満の低圧太陽光発電所を県内40か所で運営してきました。その電力の一部は、昨年より売電会社である（株）パルシステム電力を通じて新潟でも購入できるようになり、私たちの夢であった「自分たちで使うエネルギーを自分たちでつくる社会」に、ほんの一歩近づくことができました。

次に挑戦しようと思っているのは小水力発電です。「小水力」とは、海外ではおおむね出力が1万kW以下の水力発電を意味するようですが、日本では1000kW以下をそう呼ぶのが慣例です。いずれにせよ、ダムなどの大規模開発をともなわない環境配慮型の水力発電を意味します。

巨大なダムを造って河川の水を貯めるのではなく、流れをそのまま利用するので環境への負担は極小化されます。また、昼夜、年間を通じて安定して発電ができ、設備利用率も格段に良いので、太陽光発電と比べても5〜8倍の電力をつくりだすことができます。平地が広い新潟県にも山間部や山岳部がけっこうあります。それはつまり、水力発電の可能性もたくさん眠っているということを意味します。

けれども、太陽光発電よりも相手にする「自然」が多岐に渡り、難易度ははるかに高くなります。地形・地盤・雨量・河川（流量）・森林・河川域の農地・沿岸の漁業などなど、まさに日々刻々と変化する、生きた「自然」を考えながら進めなければなりません。また、影響を受ける人々やステークホルダーもその分多くなります。地元の理解の調達、水利権の調整、法的手続きなどをめぐって困難が多いのはたしかです。そして、もちろん「開発行為」には変わりがないので、太陽光発電にも増して、環境に対する幾重もの配慮が必要になります。

素人には難しい、というのが正直なところです。けれども、すでに開発の経験があるプロの方々と一緒に仕事をすすめるうちに、どんどんと新しい知見も増え、最初に太陽光発電所を造ったときのようなワクワク感も増大しています。実は、設備を造ったり、事業が成功して収益が生まれるということ自体よりも、それを実現するプロセスでの実践的な学び、すなわち「Learning by doing（実践しながらの学び）」の経験やよろこびこそが、「おらって」の活動の醍醐味であると言えるかもしれません。

「小」水力とはいっても、またもや億単位の投資が必要な事業です。「おらって」にはもとよりそんな体力はないので、例のごとく大銀行や大企業の力も借りなければなりません。しかし私たちは「ご当地エネルギー」として、この小水力発電事業をきっかけに、その地域がまさに〝エンパワー〟されるしくみづくりを提案し、実現するという役割を担っています。近年ますます重厚長大化する自然エネルギー事業の、このような〝民主化〟こそが「おらって」の役割なのだと思っています。

「スモール・イズ・ビューティフル」。たくさんの〝低圧〟の太陽光発電所と、たくさんの〝小〟水力発電所は、私たち「おらって」がめざす「地域分散ネットワーク型社会」の下部構造になります。引き続き会員のみなさんと夢を追求してゆければと思っています。

小水力発電への挑戦　その2

２０１5年から始めた太陽光発電事業も、やりながら「学び」の連続でしたが、小水力発電事業はその包括性、複雑性が比較になりません。農家や漁協など川の流域すべての関係者に配慮しなければなりません。もちろん環境にも最大限配慮します。また、許認可の量も比較になりません。複雑な固有の地形や地質に対応しなければならず、計画や設計、工事にも時間がかかります。初期に巨額の投資が必要になるため、リスクが高く、理解ある融資先が必要です。

そんなことを一介の市民ができるのか。けれども、環境エネルギー政策研究所（ＩＳＥＰ）やＫさんのような小水力開発のプロに助けられながら、少しずつ前に進んでいます。ほんとうに「学び」の多いプロセスです。太陽光と違い、河川の水でタービンを回すので24時間発電します。また、固定価格買取制度（ＦＩＴ）の買い取り価格も太陽光より格段に高いので、完成すれば安定した事業収入が得られます。そしてその収益を、山間部の地域にさまざまなかたちで還元できます。

かつてレーニンは「電力は国家なり」と言ったのですが、近代以降のエネルギーの歴史を見ると、すべからく戦争や国家的プロジェクトと結びついてきました。プーチンのロシアは、ウクライナを侵略する際にまず原子力発電所を攻撃し、支配しようとしましたが、それも原子力エネルギーが本来もつ性質を浮き彫りにしています。

「小」水力発電は、国家や戦争のためではなく、地域の人間が地域のニーズを満たし、地域の自治とエンパワーメントを実現するために建設され、使用されます。「おらって」プロデュースの市民小水力発電所の実現は、まだまだ時間はかかりますが、完成が待ち遠しくてなりません。

原発型再生可能エネルギー

「スモール・イズ・ビューティフル（小さいことは素晴らしい！）」

今回は、近年政府が再生可能エネルギーの主力電源として期待している洋上風力発電についてです。たとえば現在、原発約２基分（２０００メガワット、おらっての総発電量の１０００倍）の出力に相当する、国内最大級の開発計画が秋田県で進んでいます。同じ日本海側で風に恵まれた新潟でも、村上市の大規模洋上風力計画が進行中です。もちろん、この国全体として再エネの割合が増え、衰退する地方経済に刺激が与えられるのは望ましいことです。

ただ、そのような巨大開発事業が、単に資本を投じる側（中央）のためだけではなく、ほんとうに立地地域（地方）の未来を明るくするのかどうかについては、十分な検証が必要です。地域経済への波及効果が限定的で、おまけに自然環境を悪化させ、何よりも地元住民の声が届かないという、これまで通りの〝開発〟になってしまったら、それはきっと原発が建設されたときと同じような悪影響を地域にもたらすことになるでしょう。「原発型再生可能エネルギー」では、地域の未来は切り拓けません。

歴史に学べば、開発規模が巨大であればあるほど、どうしても〈中央〉が〈地方〉を食いものにする「植民地型」の開発になる傾向があると言えます。いま大切なのは、目先の利益だけではなく、地域がほんとうに末永く、〈中央〉に搾取されずに、真の豊かさを享受しつづけられるのかどうかについて、さまざまな角度から検討を加えることだと思います。

新潟の洋上風力発電について

新潟の沖合はいま、洋上風力発電の草刈り場になりつつあります。一昨年、大成建設と本間組が、村上市および胎内市の沿岸と沖合いで、出力最大50万kWの洋上風力発電所の建設を計画していることが報道されました（『新潟建設新聞』２０１９年6月6日）。また昨年は、三井不動産と三菱商事パワーによる国内最大規模（設備容量最大35万kW）の洋上風力発電事業の検討が始まっていることも報道されました（『新潟日報』２０２０年10月19日）。またさらに今年に入って、ドイツの電力大手ＲＷＥの日本法人「RWE Renewables Japan合同会社」（東京）が、村上市・胎内市沖で最大70万kW級の洋上風力発電事業を計画していることも報道されました（『新潟日報』２０２１年４月２日）。「おらって」の総発電量は約２０００kWですから、風車一本分（約1万kW）にも遠く及ばず、洋上風力発電というのは目もくらむような巨大プロジェクトであることがわかります。

背景には、ようやく重い腰を上げた日本政府のエネルギー政策の変化があります。昨年末、経済産業省は、国内の再エネ比率を高める切り札として、２０４０年までに３０００万～４５００万kWの洋上風力発電の建設を推進することを発表しました。これは、１か所50万kWとしても、日本中に60～90か所の巨大風力発電所が建設されることを意味します。原発１基分の発電量が約１００万kWだと考えれば、これから日本に、新たに原発30～40基分以上の風力発電所ができることになります。

ひと昔前、再生可能エネルギーをエネルギー供給の主力として考える人はいませんでしたが、いまや再生可能エネルギーこそが脱炭素社会の希望であるということは世界的な常識になりつつあります。中でも洋上風力発電は、電力供給規模の観点からも、「脱炭素」のみならず、やがては「脱原発」をも可能にする潜在性を備えており、それはすでに海外でも証明されつつあります。エネルギー転換において周回遅れの日本でも、これからは積極的に推進が期待されます。

しかし他方で、心配もあります。まず、いかんせん巨大です。また「国策」として国が先導し、東京や海外の大手ゼネコンが参入するという図式も、まるで原発建設のようです。新潟の洋上風力を、これから新潟の市民がどう受けとめ、どう対応するか。新潟の海を、東京や中央のための「原発型洋上風力発電」に埋め尽くされるのではなく、自然と調和し、自立的で持続可能な地域にとって誇りとなるような風力発電所を造ることはできないのか。明確な答えはありませんが、まさにその答えは、これからどれだけの〈対話〉と〈熟議〉が行われるのかにかかっているのだと思います。

野辺山営農ソーラー

先日、長野県八ヶ岳のふもとにできた「野辺山営農ソーラー」の竣工式に出かけてきました。「営農型」ですから、写真のようにパネルの下で農業が営まれます。下ではビニールハウスも造られ、「日本一のホウレンソウ」なども栽培されるようです。農作業を円滑にするために、架台の背丈がとても高いのが特徴で、約１・６メガワット（１６００kW）の容量をもっています。完成にこぎつけるまで約５年の歳月がかかっており、開発に尽力したＩＳＥＰのみなさんにも並々ならぬ苦労がうかがえました。「苦労」の最大の原因は、この手の開発の場合どこでもそうですが、地元の合意形成でした。ここ野辺山でも、最後まで強く反対する住民の方もいらっしゃったようですが、みなさん丁寧に時間をかけて理解を得ることにご尽力されたようです。

営農型ソーラー（ソーラーシェアリング）は、何よりも固定価格買取制度（ＦＩＴ）で約束されている、最低でも20年のあいだ「営農」する主体が保証されていなければ成り立ちません。つまり、高齢化が進む日本の農業においては、後継ぎの存在がなければこの「営農型」もできないことになります。幸い野辺山では、30代の後継者に恵まれており、彼ら若い農業経営者が、電力会社の役員としても最後まで仕事をやり遂げることになります。私も彼らと話しましたが、先見性と胆力のある頼もしい若者たちでした。

野辺山営農ソーラーの太陽光発電パネル

しかし日本全体では、営農型ソーラーは思ったより普及していません。それは、農林水産省と環境省の縦割り行政が生み出す制度的な障害もあるのですが、何よりも、主体である農家のみなさんに、エネルギー転換や太陽光発電の意義がいまだ伝わっていないことに原因があると思います。たしかに、農業とエネルギー事業は仕事においてまったく異なるテイストをもっていて、お互いがその意義を理解しあうためには、いくつかの段階が必要になるのかもしれません。しかし、この両者のありかたが、これからの社会のありかたを決める鍵であることは明らかです。

大企業が、植民地型の大規模太陽光発電施設を田舎に建設する（おまけに環境を破壊する）というのではなく、多数の小規模自営農家が、農作物だけでなく、それぞれ自前のエネルギーを管理し生産するというしくみが、田舎に新しい雇用や魅力を生み出すのではないか。この「営農型ソーラー」の思想と実践は、まだ緒に就いたばかりですが、その可能性は想像以上に大きいのではないかと思います。

「おらって」第40番目の発電所で

岩室温泉地区の若者たちが集うシェアハウスに、このたび太陽光発電所が完成しました。「おらって」発電所としては第40番目、最新で最小の発電所になります。いわゆる「藤棚型」なので、パネルの下で作業をしたり、農作物をつくることもできます。

このシェアハウスの敷地は、実は自然農業の小さな実験場でもあります。若者たちが、じゃがいもや大豆、ニンジンなどを、無農薬・無肥料でつくっています。また最近は、受精卵からヒヨコをかえしてニワトリを育てる試みもしているようです。まさに試行錯誤。たくさんの失敗を重ねながら、一歩一歩、「食」を自給するとはどういうことなのか、体全体で学んでいるようです。

また、このシェアハウスにはときどき近隣の大学生も訪れ、農作業を手伝ったり、悩みを打ち明けあったり、一緒にご飯をつくったり焚火をしたりして、交流もさかんなようです。

彼らは「Z世代」とも呼ばれているようですが、「Z」がアルファベットで最後の文字であるように、彼らの生きる時代は、近代文明が徐々に終焉を迎え、次の「何か」を生み出しつつある人類史の転換期でもあります。これまでのあらゆる制度やシステムが人間疎外や破壊の原因となり、その多くが機能不全におちいっている現在、そもそもの「文明」の始まりから見直してゆく彼らの実践と挑戦は、ほんとうに頼もしく思います。

彼らZ世代が自然農法を学ぶ「学校」は、もちろんYouTubeや検索エンジンなどのサイバースペースです。受精卵も種もインターネットで購入し、発信もＳＮＳで行います。大学の授業の一部あるいは多くがオンラインで行われるので、満員電車で通学する必要もありません。けれどもその一方、地元に長く住むお年寄りたちと密に交流し、その地域の歴史や伝統を深く学ぶことができます。地域の自然や、土地に眠る無限の智慧や経験は、抽象的な大学の講義や専門書と混ぜ合わされ、彼ら固有の〈知〉にまで高められていきます。

褒めすぎかもしれません。けれども、「おらって」第40番目の発電所の下で日々営まれている小さな実践は、まさに刮目《かつもく》すべき新たな可能性に満ちているといえます。

〝熱〟という可能性

先日、徳島地域エネルギー代表理事の豊岡和美さんが「おらって」にお越しになり、事業としての〝熱〟の可能性について丁寧に語ってくださいました。私も以前より、デンマークなどを訪れ、数世代も先を行く地域熱供給事業の現実を垣間見て、いつか新潟にも実現したいと夢見ていましたが、今回のお話で、実は日本でもすぐに手をつけられる可能性があることがわかりました。

簡単に言えば、オーストリアのイータ（ＥＴＡ）社と直接代理店契約を結び、小型の高性能ボイラーを格安で輸入、木質チップによる熱供給と熱利用の小さくとも確実な循環をつくり、販路を広げていくというビジネスモデルです。ちょっと一言だとわかりませんね。詳しい内容は「おらって」の学習会等で徐々にお伝えしていきたいと思いますが、この分野では可能性のあるビジネスモデルだと言っていいと思います。

正直、太陽光発電事業は、とくにこの国の政府と行政（経産省）の後進性によって頭打ちとなっています。しかし熱は、まだこれから大きな開拓の余地を残しています。市民＝素人が地域の自立のために本格的な事業展開をしていくには、とても有望だと思います。資源、そして熱需要については多くのポテンシャルがある新潟ではなおさらです。さっそく私たち「おらって」も、熱事業に着手しようと思っています。

自然エネルギーのゴミについて

「おらって」の太陽光発電所のほとんどが、つくった電気を20年契約の固定価格買取制度（ＦＩＴ）で売電会社に買ってもらっているのですが、20年後どうするのかについては、まだ一律の計画があるわけではありません。パワーコンディショナーなどは別として、太陽光パネルは30年40年50年……と電気をつくりつづけるので、20年間のＦＩＴが終わっても、設置してある施設への寄付や再利用などが考えられます。

しかしいずれにせよ、自然エネルギーといっても、それをつくりだす手段は、いつかはゴミになる可能性があります。もちろん、同じ発電施設でも、たとえば原子力発電所の核のゴミなどと比べると、はるかに環境や社会に害を及ぼさずに済みますが、ガラス、アルミ、鉄、レアメタル、ビニールなどなど、自然にそのまま還すことができないものも多々出てきます。

私たちの「文明」社会は「産業廃棄物」を生み出す構造にあります。それを、自分たちの住んでいるところからできるだけ遠く離れたところに捨てる＝埋め立てることで、自然に還ることができない物質を地球に押しつけ、覆い隠し、あたかもその「原罪」をなかったことのように忘れようとします。エネルギー転換を果たし、地球にやさしい社会をつくろうとする自然エネルギーのテクノロジーも、この「文明」の宿痾《しゅくあ》を完全に脱することはできません。

この惑星とともにあり、永続する新しい人間社会を真剣に考えるなら、単に炭素を出さなければいいとか、ＳＤＧｓに取り組むといったことだけでなく、まずは忘れてしまった生命や地球への「畏《おそ》れの念」を、人間たちがふたたびみずからの心に取り戻す必要があるのかもしれません。万能なテクノロジーはありません。テクノロジーに溺れてはならない。地球の片隅で、他の種とともにその一部を借りて生きている人間の驕《おご》りこそ、現代文明の根源的な危機の原因であることを、今一度確認しておきたいと思います。

刈羽村での講演

先日（２０２０年10月19日）、刈羽《かりわ》村村議会の特別委員会に招かれて、地域における再生可能エネルギーの可能性について講演してきました。みなさんもご存知の通り、刈羽村は世界最大級の東京電力柏崎刈羽原発があるところです。村の歳入の７割から８割は原発関連で占められています。それで、軽々しく「反原発」や「脱原発」と叫ぶことができない事情があります。けれども、村議会議員全13名のみなさんは、原発の再稼働に賛成する方が多くを占めているにもかかわらず、ほんとうに真剣に話を聞いてくださいました（品田村長さんも別室でテレビ中継をご覧になっておられたそうです）。

刈羽村議会に対する私の当初のイメージは、原発賛成派と反対派に真っ二つに分かれたままで、お互いにろくな話もしないのだろうという粗雑なものでしたが、実際は民主的な「熟議」をする場としての「議会」がしっかり生きているという印象をもちました。とくに賛成派の議員のみなさんから、ほんとうに真剣なご質問をいただき、彼らが単に利権にすがった近視眼的な人々なのではないのだということがわかりました。自分のふるさとの未来を真剣に考えた場合、いつまでも原発に依存したままでは立ち行かなくなることを、多くの議員が自覚し、未来に向けた施策を模索している姿を垣間見られた気がします。

「再生可能エネルギー事業で、ほんとうにこの村の雇用は維持されるのか」という真剣な質問に、近い将来しっかりと実例として答えを示すことができるよう、これまで以上の努力が必要だと決意を新たにしました。

新しい仲間を迎えて

新潟はまた美しい季節を迎えました。澄んだ空気とやさしい日差しによって、私たちの太陽光発電所も毎日フル稼働になっています。新緑が山々に浮かび上がってくるように、「おらって」にも若い、新しいインターン学生の顔々が見えるようになりました。

今年度のインターン学生は4名。去年から継続のKさんに加え、Mくん、Fさん、Nさんと3名の新しいメンバーが増えました。また、新しい事務職員として、昨年度までインターンを務めていたTさんが採用され、すでにほぼ毎日事務所に勤務しています。また、もうひとりの新しい事務員Kさんは、昨年度まで市役所に勤務していた超ベテランの女性です。新しいメンバーが参加することで、私たちにとって課題であった世代間バランスも、そしてジェンダーバランスも、多少は改善されたと思います。

私はいつも、「おらっては、そもそも何のためにあるのだろう?」と、ことあるごとに考えます。内村鑑三の有名な講演『後世への最大遺物』ではありませんが、後世にお金や事業を残すのはもちろんのこと、より大切なのは、次の世代を育て、無形の思想や文化を伝えていくことだと思っています。「おらって」の人材育成プログラムや環境教育プロジェクトが「おらっての一丁目一番地」といわれるのは、そのためです。私は、飯田哲也さんが所長を務める環境エネルギー政策研究所（ＩＳＥＰ）の理事も拝命しているのですが、ＩＳＥＰは、日本中にコミュニティパワーを建設し、政策提言や指針を与えてきたという偉業もさることながら、自然エネルギー分野にきわめて多くの人材を輩出してきたという事実こそが重要だと思うようになりました。

ところで内村は、講演の結論として、最後にさらに重要な「遺物」を挙げています。それは、偉人でなくても、誰でも残すことのできる「勇ましくて高尚な人の一生」だといいます。何よりも、「おらって」に参加したメンバー一人ひとりが、いまの時代にしっかりと、可能な限りより善く生きようとした、その事実こそが重要だということです。「おらって」には会員の数だけの「人生」があります。それぞれが、それぞれの条件下で、できるだけ「高尚」であろうと試行錯誤したこと、それ自体に価値があるのだと思います。

「おらって」の新しい仲間は、「おらって」という出会いの場で、これからどんな新しい物語を創りだしていくでしょうか。新しい仲間を迎え、私もみなさんとご一緒して、引き続き試行錯誤を続けたいと思っています。

白井さん

「おらって」の理事に白井智雄さんという方がいらっしゃいます。理事の中では最高齢ですが、おそらくいろいろな意味で、いちばん「若い」方です。現在は主に太陽光発電所の管理を担当されていて、夏の暑い盛りに長時間草刈りをしても、まったくバテるようすもありません。普段は山の中で炭を焼いておられ、また、ときどき子どもたちのためにコンポスト（生ごみなどを微生物で分解し堆肥化すること）の講演に精力的に出かけられます。褐色に日焼けした肌で、猛暑の中でも冷房などは必要ないとのこと。ほんとうにお元気で、その活力の源は、日々の修行僧のような節制と労働にあると拝察しています。

子どもだったころ信濃川でよく泳いでいらしたそうで、「私は河童です」といつも自己紹介されます。遊んでいた川が汚されていったのを見たのが、環境問題に関心をもったきっかけだったそうです。ご本人には直接お伝えしたことがありませんが、地球を守る、自然に負担をかけない、というご自分の〝思想〟を日々の暮らしの中で淡々と実践される姿にいつも敬服しています。

一方、冷房が大好きで、体を動かすよりも美味しいものが好きで食べすぎる私は、ほんとうにダメだなと思います。自分の欲望に勝てず、そのせいで自分の健康すらもろくに守れないとすれば、地球の自然など守れるわけはありません。高校生のころ、フランスの思想家ジャン＝ジャック・ルソーの『エミール』という本を読んで、大地によって鍛え上げられた健全でたくましい肉体と、根の生えた知性をもつエミールのような人間になりたいと憧れていましたが、その理想と現実の落差に意気消沈するばかりです。

白井さんはいつもあまり多くを語りませんが、その〝行動〟でいつも私たちを啓発してくださいます。「大地に根差すおらって」が、かけ声だけに終わらないよう、これからも温かくご指導いただければと思っています。

秋分の日に

「おらって」の誕生日は、秋分の日と同じ９月23日です。２０１４年９月23日がキックオフ集

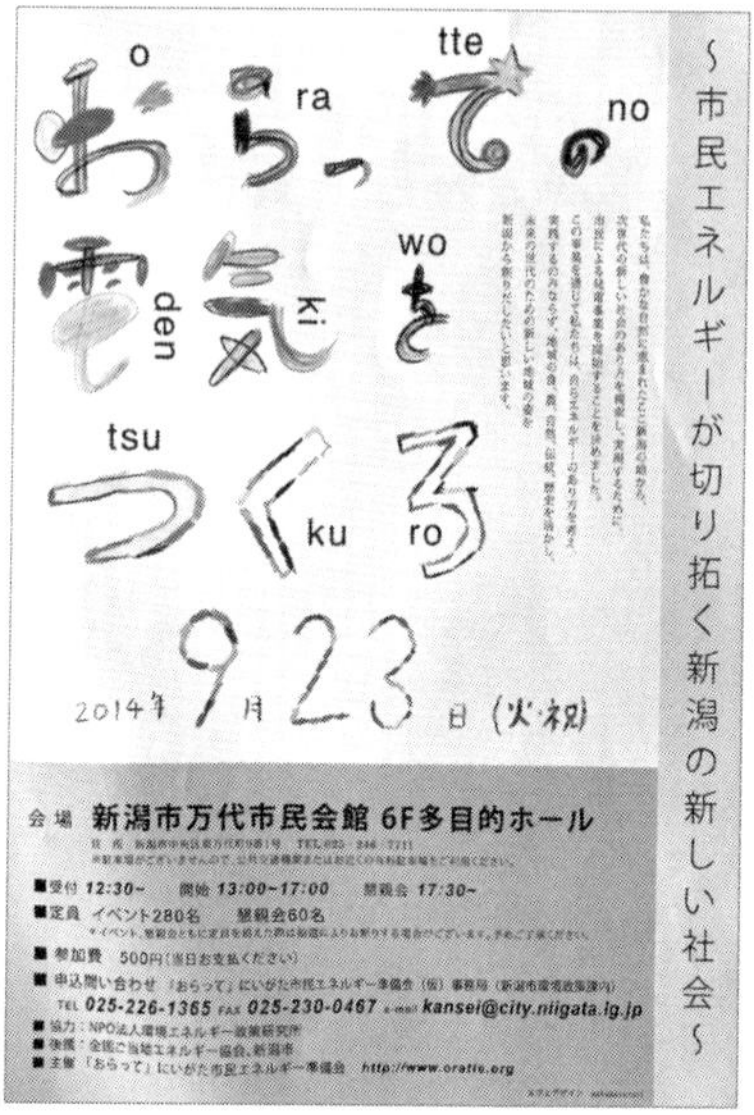

会でしたから、もうすぐ丸9歳（2023年現在）になります。9年間、思えばあっという間でしたが、ほんとうにいろいろなことがありました。中でも、もっともありがたいことは、会員としてこれまで多くの方々がずっと支えてくださったことです。また逆に、やむを得ず退会された方や、残念ながらすでにこの世を去られた方々もいらっしゃいます。最初の理事や運営委員の中でも、すでに2人がご逝去されました。

　私の書斎の机の正面には、いまだに9年前のキックオフ集会のチラシが貼ってあります。「おらっての電気をつくろ」と呼びかけて約280名が集まりました。このチラシのように、かつての記憶もやや色あせつつありますが、そのときの熱い想いは、いまだに生き生きと蘇ってきます。この世を去った仲間たちの声や面影も、いまだに私の胸中で鮮明に息づいています。

　この間、成し遂げられたことも、成し遂げられなかったことも、いずれも多くあります。ただ、もともとすべてができるわけでもなく、また他方で、できることがないわけでもありません。市民として「すべきこと」を淡々と、仲間とともに着実に進めてきました。その成果は、何よりも、次世代の若いメンバーが「おらって」で学び、活動し、巣立っていっていることにあります。

私たち市民のささやかな努力についての記憶や記録は、たしかに砂の上に描いた絵のように、次々と流れていく時間の波の中で儚《はかな》く消えていくものなのかもしれません。大文字の「ニュース」や「歴史」の中で、「おらって」もまた、ひとつの砂粒のような存在でしかありません。けれども、「歴史」という大きな山脈の大部分は、まさにこういった名もない人間たちの、名もない努力のひと粒ひと粒からできあがっているのだということも、たしかな事実です。私たちは、いま当たり前のようにさまざまな権利や幸せを享受していますが、そのほとんどが、無名の先人たちがかつて黙々と育み、耕してきた努力の成果にすぎません。

秋になると新潟では、黄金色の田んぼで刈り入れが行われます。農家の無数の手間と自然の恵みが育んだ新米が収穫され、食卓に届きます。秋は、私たちがそのひと粒ひと粒を噛みしめ、至高の美味に満たされながら、その幸福をもたらした無数の人々の想いと努力に思いを馳せる季節でもあります。

第2章

エネルギーから「せいじ」を考える

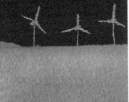

「せいじ」について

最近の時事通信の世論調査で、内閣支持率がかつてないほど急落したという報道がありました。他方で、野党を含め、どの政党への支持率もいたって低く、「支持政党なし」が半数以上にのぼるということでした。つまり、この国の「最大与党」は無党派層ということになります。そしてこれは、大多数の人々が「政治に期待していない」あるいは「政治に絶望している」ということを意味しているようにも思います。

これは深刻な事態です。私が政治学者であるから言うわけではなく、経済や文化、さまざまな人間活動の趨勢《すうせい》を決するのが、結局は私たちが日常的にかかわる「せいじ」だからです。その「せいじ」が荒廃し、国民や市民の誰もが関心をもたなくなるとすれば、少なくとも次の世代にとっての希望は限りなくか細いものになってしまうでしょう。また逆に、ともに描く希望がないからこそ、「いまだけ、カネだけ、自分だけ」の論理が跋扈《ばっこ》することになります。このままだと、私たちを待ち受けているのは、お互いが自己利益をめぐって〝狼〟と化した後の、ぺんぺん草も生えない荒廃した未来かもしれません。

たしかに「せいじ」は難しくてやっかいです。ふつうに生活していて、かかわりたくないもののひとつです。けれども、たとえ私たちがどんな活動や仕事をしていても、「せいじ」と無関係ではいられません。「せいじ」は、誰かにお任せしていても、それを漫然と放置していれば、やがて私たちの生活に突如襲いかかってきます。かかわり過ぎても、かかわらなさ過ぎても災いをもたらすもの。それが「せいじ」にほかなりません。

概して日本人は、「せいじ」を敬して遠ざける傾向が強いといえます。したがって、この「せいじ」から、忘れたころにこっぴどい仕打ちを受ける可能性も高いといえます。「苛政は虎より猛なり」と言いますが、この「虎」を日常から飼い慣らす、成熟した文化や実践が必要です。こういった実践を怠って「せいじ」を軽視しつづければ、やがて私たちはこの「虎」の単なる餌になってしまうことになります。

「油断大敵」

最近の報道では、電気代の値上がりや電力不足への心配から、「原発回帰」の動きが強まっているようです。朝日新聞社の調査でも、先日の選挙（２０２２年７月）の後、参議院議員では原発維持派が多数派になったとのこと。岸田首相も記者会見で、最大9基の原発を再稼動させるよう、経済産業省に指示をしたと発表しました。

1930年代、日本が戦争に突き進んでいったときも、「ABCD包囲網」によって石油をはじめとするエネルギーや戦略物資が枯渇するという不安が、軍部の暴走を正当化していきました。また、堺屋太一の小説『油断!』（文春文庫）でも描かれたような、70年代のオイルショックの際にも、エネルギー供給の国家的な危機が、その後の政府による原発推進（原子力ルネサンス）への契機となりました。

歴史的に、国家が「エネルギーが足りない！（油断大敵！）」と言うとき、それがたとえ事実だとしても、私たちは少し用心する必要があります。エネルギーは産業のみならず、私たちの生活を支える「血液」でもありますから、それが枯渇するということになると、まさにそれが一大事ということになって、国家の存在感がせり出してくることになります。民主主義を一時的にでも停止させるような国家主義は、得てしてエネルギー危機の呼びかけから始まるという事実を私たちは忘れてはなりません。

ところで、「油断大敵」の語源を調べると、比叡山延暦寺の「不滅の法灯」であるという説があります。1200年間途絶えたことのないという、この法灯を消さないように僧侶たちが毎日欠かさず菜種油を注ぎ足しつづけているのだそうです。一度でも油を断ってしまえば、1200

年間守りつづけてきた火が消えてしまうことから「油断大敵」ということばが生まれたとのこと。油（エネルギー）は国家が提供するのが当たり前だと私たちは思いがちですが、いわば「自治」に基づいて、自分たちで提供しつづけられるというイメージも大切です。自分たちの生活や生命の根幹を、すべて国家に依存してしまうことで、いつの間にかそれを守るために「戦争」に駆り出されてしまうことにもなりかねない、というのは歴史が教えるところです。

新・日本列島改造計画

「みなさん、人間というものは生きている間は短いんです。せめてその短い、生きている間、いまよりもいい生活環境をつくって、人生を楽しみながら、この世に生まれた喜びを感じながら、親も子も孫も一緒に楽しい人生を送られるような社会をつくることが大事であります。そう思いませんか、みなさん！」

先日、テレビで再現された田中角栄の演説を聞きながら、自分が生まれた１９６０年代の日本の空気感を、記憶の底から少しずつ呼び起こしました。角栄が権力の絶頂をきわめる、ちょうどそのころに出版された彼の『日本列島改造計画』は、高度成長期日本のまさに青写真でした。言うまでもなく、角栄を生み出した新潟もその恩恵を受けてきました。１９６６年生まれの私も、２ＤＫの団地住まいの、けっして裕福な家庭ではありませんでしたが、小学生のころ、科学技術が躍動する幸福な未来世界を思い描いていた記憶があります。

あれから半世紀経って、その政治の功罪を冷静に考えることができます。いま、自民党の裏金政治が問題になっていますが、その起源は、カネと権力が直結する利益政治を構築した、この時期の田中政治にあったともいえます。しかし、「日本列島」の「改造」を正面から唱える田中政治は、少なくとも日本中の地方の隅々にまで恩恵をもたらす、国家レベルの「希望」を語っていました。角栄が「みなさん！」と呼びかけるとき、それは有権者がまさに自分たちのことだと思える根拠があったように思います。あの時代の輝きは、「自分（たち）だけ」の利益をむさぼる昨今のやせ細った保守政治と比べるとき、目もくらむほどです。

一方、角栄は新潟に世界最大の原発も造りました。「科学技術立国」の日本の成長の基盤となる夢のエネルギーを生み出そうとした原子力発電は、しかし残念ながら、いまや未来世代の幸せをむしばむ大きな負債となってしまっています。この地震大国で、原発は「当座必要だ」という人はいても、「未来永劫必要だ」という人はほぼいなくなっています。なぜ東京の電力のために新潟（地方）がリスクを背負うのか、核のゴミはどうなるのか、という根本的な問いも未解決のままです。

角栄が言った、「せめてその短い、生きている間」だけを考える「いまだけ」の政治は終わりました。また、「この世に生まれた喜び」というフレーズも、もはや現世ではなく「仮想現実」や「転生」を希望のありかと考える現代日本の若者たちにとっては、何のリアリティもありません。あれから半世紀たって、この国は、モノはあるのに真に希望がもてない国になってしまいました。

けれども、真の希望、すべての人々が一緒に語れる夢とは、どんなものでしょうか。それとも、そんなことを夢想すること自体が昭和のノスタルジー（燃えかす）にすぎないのでしょうか。

ふと、「新・日本列島改造計画」ということばが浮かんできました。今度は、中央から地方に利益を誘導するのではなく、まさに地方が中心の日本列島です。そして、いつも戦争とつながっている原子力や化石燃料ではなく、自然エネルギー中心の日本列島。中央に依存しなくても列島の隅々に自立した産業が育ち、高度な科学技術と教育がそれを支える国。そして、角栄も言うように、「親も子も孫も一緒に楽しい人生を送られるような」日本です。それはとうてい無理なのでしょうか。私は、それはけっして不可能だとは思っていません。

希望としての〈地方〉

先日、先の統一地方選（2023年4月）で惜しくも落選した友人と話をしました。彼女は2011年福島第一原発事故からの自主避難者ですが、4年以上にわたる地元での地道な活動の結果が報われなかったというのは、ほんとうに悔しく残念なことです。しかし少なくとも、獲得できた票の数だけの有権者が、友人の訴えを支持したことは疑いえない事実です。また、無投票の選挙区が増えている昨今で、しっかりと選挙戦をたたかったことには大きな意味があったと思います。

それにしても、友人がたたかった選挙区は、新潟の中でもいわゆる典型的な「田舎」でした。古くからの兼業農家が多い、ごく「保守的な」気風の地域です。「よそ者」の友人は、その意味では最初からずいぶんと不利だったといえます。女性の社会的地位の向上や脱原発の政策といったリベラルな訴えは、そのままでは「票」にはなりません。それらをさらに、生活の中で目に見える具体的なモノや価値として提示できなければ説得力をもちえません。たとえ、現在の生活に少なからず不満があっても、根源的な変化を好まない有権者の心性が根強くあります。

正直、私も新潟に20年以上住んでいて、いまだ根雪のように残る、まさに「田舎の権威主義」とも言うべきその退嬰《たいえい》的な気風にうんざりすることもあります。しかし日本全体を眺めてみると、それはほとんどの「地方」にも同じように見られる傾向であり、さらには日本という国自体が、全体として同じ問題をかかえていることにも気がつきます。閉ざされたムラ社会で、ムラの外で起こっていることの本質にはまったく気がつかず、昨日と同じ今日や明日が続くという前提で、前例に倣い、あくまでも内輪の論理でしか動くことがない。それはまさに、いまのこの国そのものの姿にほかなりません。

国全体が内向きで退嬰的になっている。ですから、この国の希望は、逆にもう「地方」にしかないのではないかとも思います。坂口安吾の『堕落論』ではありませんが、まずはダメな「地方」をダメなまま抱きしめて、そこから出発する。そしてあれこれ粘り強くやって、そこでもし何か新しい変化が生まれるようなことがあれば、その変化はこの国全体を変える可能性をもつ変化であるかもしれない。

まだ友人には十分伝えられていないのですが、今回の選挙では負けたかもしれないが、私たちはほんとうの意味で負けてはいけない。「田舎」における民主主義も、あきらめてはいけません。希望を「地方」にもちつづけること、「地方」から「中央」を変える契機を生み出すこと、実はそれこそが、現代における真の希望のもちかたなのかもしれないと思っています。

倚りかからず

「倚《よ》りかからず」。これは、「倚りかかるとすれば　それは　椅子の背もたれだけ」で終わる、茨木のり子さんの有名な詩のタイトルです。この凛《りん》とした姿勢を、ことあるごとに思い出します。

最近、少々大げさですが、この国のゆくえについて考えます。1億2000万人超の人口と、それなりの経済規模をかかえる「大国」ですが、明らかに衰退と崩壊の道を歩んでいます。戦後日本という〝システム〟が、ことごとく機能不全におちいって世界から取り残されつつあることはずいぶん前から指摘されてきたわけですが、この国はその不都合な〈現実〉を直視することなく、したがって、その巨大な身体の体質を変えることもなく、「失われた〇〇年」を幾度も過ごしてきました。最近はオリンピックや万博などの若いころの「栄光」に想いを馳せるのが唯一の慰みになっています。

戦後日本は、沖縄に基地を集中させ、アジアや世界に矛盾を転嫁しながらも、70年以上戦争をせず「経済大国」と呼ばれるようになりました。私には、その「成功」体験がこの国の変化を妨げている最大の原因であるように見えます。「平和ボケ」というより「システムへの依存」が蔓延し、国民が政治や社会のありかたを、すべて大きな力に〝お任せ〟してしまう、怠惰な気風を醸成してしまいました。

教育も、行政も、福祉も経済も、そして人生も、何もかもが、すでにあるシステムの中で演じられるゲームになって、そのシステムの中で上手にふるまうことだけが「正解」になってしまったので、そのシステム全体が変容したり危機におちいったりすると、もうどうしようもなくうろたえて、機能不全におちいってしまう。私には、いまのこの国の状況はそのように見えます。そして、思えばこの国は、戦前も同じような狼狽《ろうばい》状況の中で大失敗をおかしたわけです。

国民の一人ひとりが、自分の五感で感じ、自分の頭で考え、自分の人生や社会は自分でつくりだすという気風は、この国でいつから失われたのでしょうか。「倚りかからず」という姿勢は、エネルギーを地域でみずからつくりだそうとする「おらって」のめざすものと共鳴しているでしょう。これまでのゲームの「外側」に、いわば新しいゲームをつくる力が問われているのだと思います。

「自助」と「自治」

かつて、ある総理大臣が就任前に「自助・共助・公助」と強調したので、このことばが一気に多くの人々のあいだで取りざたされました。これまでも、自治体の災害対策などでよく使われてきたことばです。「互助」を付け加えて「自助・互助・共助・公助」と言ったりもするようですが、行政の最高責任者に「まずは自助」と言われても、少々釈然としないところがあります。

「おらって」の重視する「自治」は、似ていますが「自助」とは異なります。「自治」の前提には共同体（コミュニティ）がありますが、「自助」の単位は個人です。「自治」は、国家の干渉からの自由、そしてあらゆる個人の連帯という意味が込められていますが、「自分でできることはまず自分で」という「自助」は、とくにその後に「共助」や「公助」を置くことで、国家や社会の責任の放棄、あるいは「自己責任」論につながるニュアンスをともなっています。

新型コロナウイルスの世界的蔓延、その中から生まれたブラック・ライヴズ・マター（BLM）運動などの新しい潮流を眺めていると、成功も失敗も、すべてを個人や個人の努力に帰着させる近代的な思想の限界を感じます。あたかもひとりで大きくなったような顔をしている若者や、他者の受苦にまったく無関心な人々を多く見るにつけ、その意を強くします。

国家が国民に「自助」を呼びかけるとき、そこにいわば国家主義と戦争の臭いを嗅ぎつける、鋭敏な歴史感覚はもちつづけていたいと思います。

自治としてのウイルス対策

新型コロナウイルスの猛威がなかなか収まりません。ニュースで新しい感染者と死亡者の数を知るのが日課になりました。とくに日本では、１００万人あたりの検査数がトリニダード・トバゴやチュニジアに抜かれて世界１５１位と極端に少なく（２０２０年８月17日現在）、いわば無自覚の感染者を野放しにしているので、このまま冬を迎えるとどうなるのか、悪い予感しかありません。

新型コロナ対策で政府は、もはや無為無策と言わざるをえません。この疫病は、無自覚な感染者をできるだけ早期に見つけだし、一定期間隔離してウイルスの拡散を抑えるのがもっとも重要な対策になります。検査と隔離施設の整備にお金がかかりますが、いったん抑え込めれば経済活動の回復を望むことが可能になります。しかし政府は、そういった決然たる対策を放棄しています。新型コロナウイルス接触確認アプリ（ＣＯＣＯＡ）がなかなか普及しないのも、政府の情報管理に信用が得られないことが大きな理由のひとつになっています。政治の機能不全と政治不信が、この国の新型コロナ対策を停滞させています。

こうなると、それぞれの地方や地域で、自分たちの力で検査を行い、自分たちの街や地域を守っていくしかありません。まずは病院や介護施設、学校や幼稚園・保育園などから、自衛のための社会的なＰＣＲ検査体制をつくる。このような動きは静かに全国で広がりつつあります。

「おらって」が考える「地域分散ネットワーク」という新しいエネルギーシステムのかたちは、実は、新型コロナ対策においても当てはまるような気がしています。自分たちのエネルギーのみならず、自分たちの安全も、ボトムアップでつくらなければならない時代を迎えているのかもしれません。

「経済も大切」という考えかたについて

新型コロナウイルスの猛威は、地球という惑星から人類への強いメッセージのようにも思えます。東京では一日の感染者数が過去最高を超え、感染率も高止まりです。海外でも、毒性が高まってバージョンアップしたウイルスが暴れまわり、それがまた日本にも入ってこようとしています。幸運にも「交差免疫」をもっていると言われ、これまで致死率が低かった日本人でも、今度は太刀打ちできないかもしれません。

そんななか、「ＧＯＴＯキャンペーン」を継続するか、あるいは、またなんらかの行動抑制を要請するのか、行政的な対応をめぐって悩ましい議論がなされています。しかしその結論では、「経済も大切」という論理、すなわち当座、経済活動を止めるのは望ましくないという議論が強くなっているようです。

たしかに、ただでさえ収入が落ち込んでいる事業主体から見れば、これ以上の行動抑制と、それがもたらすさらなる景気の悪化には、もう耐えられないかもしれません。「ウイルス対策（命）も大切だが、経済（生活）も大切」という論理には説得力があります。けれども、もう少しよく考えれば、いま、国際的にもずいぶんと立ち遅れている日本のウイルス対策を立て直さないままで、どうやって今後の「経済」を立て直すことができるのかという、もっとも基本的な問いも浮かんできます。そもそも、〝命か生活か〟（どちらもlifeです）の選択を迫られるというのは、私たち市民にとっては理不尽な思いがしないでもありません。

「経済」は「経世済民」ということばから生まれたというのは、よく知られています。「経済」は単にお金を回すことではありません。本来、市民の生活や命を守ることを意味します。国民の一部の命を危険にさらしてお金を回そうとするのではなく、まずはこの命と生活を分離させない方法をなんとか考えるのが、本来の政治の責任なのではないでしょうか。原発の再稼働をめぐって、依然として住民が分断される柏崎市の現実を見ながら、なおさらそう思います。

可もなく不可もなく

この国では、ここのところ政府（内閣）も企業（財界）も自治体（県）も大学も、あらゆる大きな集団において、なぜか「可もなく不可もなく」あるいは「毒にも薬にもならない」、つまり「無難」で「失点の少ない」人が組織のトップになる傾向が強くなっているように感じます。それは、常に左右上下を見回して、全体の〝コンセンサス〟を忖度《そんたく》しながらことが決まる、日本の政治文化に根差しているのかもしれません。

もちろん、それは悪いことばかりではありません。この国では、できるだけ多くの構成員が、そこそこ「納得」できるように、集団主義的にことが運ぶので、実はある意味「民主的」だとも言えますし、それまでに存在してきた組織運用の安定性を維持することにもなります。

ただそれは、その集団が前例に基づいて「大過なく」運用されればなんとかなるという平穏な時代のみに当てはまることなのかもしれません。世界が流動性を増して、ましてやその組織自体が大きな危機に直面しつつある場合などには、「無難」なことがむしろ、組織の危機をもたらす場合もありうるでしょう。「無難」に組織を駆け上がってきただけのリーダーたちは、得てして創造性を欠くがゆえに、新たな危機に有効に対処できず、組織の衰退や破滅を早めてしまう可能性も高いといえます。

危機の時代、つまり変革が必要とされる時代には、危機を乗り越えるための創造性を最大限活かすことができる、ラディカルなリーダーシップが求められます。しかし不思議なことに、この国では危機が深まれば深まるほど、危機が露呈すればするほど、「可もなく不可もなく」が選択される傾向にあるようです。この国の住民はまるで、変わること自体がリスクであると思い込んでいるようです。

「茹《ゆ》でガエル」の比喩がありますが、お湯の中で体がずいぶん熱くなっていることはわかっていても、さっきまでぬるま湯だったところからは脱出する勇気が出てこない。そんな感じでしょうか。不安で先行きが見通せないからこそ、とりあえずその場にとどまって我慢してしまう。けれども、そんな我慢の先には「死」が待っているだけです。この国では、ほんとうは変わることがリスクなのではなく、変わることができないことこそが最大のリスクなのかもしれません。

労働組合の原点

実は、私の勤める大学でも昨年、正式に教職員労働組合が立ち上がりました。問題意識を共有する同僚たちが汗をかいて「連帯」の砦をつくりました。いま私はその組合の委員長も拝命していますが、つくづくつくってよかったと思います。というのも、教職員の地位身分や給与などに関して、理事長をはじめとする法人と対等に話しあい、一般の組合員の声を経営陣に届けることが可能になったからです。今月は初の給与のベースアップも実現することができました。物価高の中で、窮状を訴える組合員の声をしっかりと聞き遂げた理事長にも敬意を伝えたいと思います。

何よりも、協力してやってみれば、岩盤のように見えた障害も突き崩すことができるのだという「経験」が共有されたことが、職場の大きな財産になったと思います。多くのみなさんが、民主主義や権利は与えられるものではなく、みずから日常的につくりあげるものだという基本的な事実を、身体で経験することができたと思います。この小さな組合の小さな成功体験は、大げさに言えば「労働組合の原点」であるように思います。

しかし一方、この国の既存の労働組合には、いまそれほど勢いがあるようには見えません。組織率はどんどん下がり、とくに若い労働者にとって、魅力を感じるようなな新味があるようにも見えません。かつてはこの国の「リベラル＝野党勢力」の核として、与党政治と正面から対峙する存在感がありましたが、残念ながらいまは、みずからの生き残りのために企業や与党にすり寄るという事態も散見され、その面影もありません。労働組合の総元締めである「連合」は、あえて厳しく言うなら、もはやすべての労働者が連帯するための組織であることをやめ、逆にそれを分断する役割すら担うようになっています。

原点にあった理想や理念を失ったこの国では、「組織防衛」の論理だけがあらゆる領域で突出しているのですが、そのように人心や倫理が荒廃したのも、何よりもグローバルな資本の流れを民主主義や福祉に優先する、「新自由主義」と呼ばれる一連の政策の影響が大きいと私は思っています。労働組合はそもそも、そういった「資本の論理」から労働者を守るためのものでしたが、いまやそれに屈服していると言わざるをえません。シニアの組合幹部だけが豊かさを享受する、「自分たちだけ」の組織に、若い貧しい労働者が魅力を感じないのも当然です。

私の職場の小さな成功体験は、この国の中央で巨大化し制度疲労した組織ではなく、地方の小さな試みこそが、民主主義や人権の希望になっているということを示唆します。労働組合も「中央の論理」から離脱し、地方の現場、そして真に助けが必要な労働者の現実から再出発することで、またかつての輝きを取り戻すことができるのではないでしょうか。

Integrity

みなさんは、国会中継などはご覧になったりするでしょうか。ずいぶん前からそうですが、相手の質問をいかにはぐらかし、正面から答えないようにするのか、政府はその技術を競っているようにも見えます。議論が論理的には完全に破綻しているにもかかわらず、マスメディアも国民もそれを問題にすることもなく、国会審議は何ごともなかったように日程をこなしていく。国会とは、いつの間にか、日本語、そして「対話」や「審議」の概念、そしてそれらへの信頼をガラガラと壊してみせる、シニシズム（冷笑主義）の生産拠点となり果ててしまったようです。

私が、その惨憺《さんたん》たる姿を見ながら思い浮べたことばが「Integrity（インテグリティ）」です。これは日本語には翻訳しづらい英単語のひとつですが、内的な倫理観に基づく思想と行動の一致のような意味で、日本社会、とくにいまの政治の世界に徹底的に欠落しているものだと思います。「真摯」「高潔」「威厳」などとも訳されます。日本社会にもともと希薄な概念だったからこそ、ぴったり相応する日本語がないのかもしれません。

いま、国会審議の中で政府や与党に透けて見えるのは、答弁の真意が相手に完全に伝わる必要もないし、納得される必要もない。ただ、聴衆をなんとなくそう思わせればよく、結果的にみずからの権力意志が遂行されればそれでいいという発想です。これは、他者を単なる操作対象として考える、いわば広告代理店的な発想と言えるのかもしれません。いまの政府は、「説明責任」などを信じているようすは微塵もなく、まるで、ただ「やっている感」「聞き遂げている感」「応答している感」などの「～感」を演出すればいいと、高をくくっているようにも見えます。

しかし思い返せば、普段私たちが触れるＳＮＳや日常のコミュニケーションの多くもまた、そのような「表層化」や「不誠実化」のほうへと変質していることに気がつきます。「建て前」と「本音」の使い分けがなんとなく世間的に承認されており、若者たちも日々、表面的に「映《ば》える」ことにひたすら執心し、ほんとうの自分の内なる声は、裏アカ（裏のアカウント）でしか表現できません。

政府や政治家たちだけでなく、この国の危機の深層には、このIntegrityの不在があるのではないか。そして、もしそうだとすれば、内面の倫理や原則と、それに基づいた一貫した行動をとる責任ある大人たちが、もっともっと増える必要があるのではないか。そうでなければ、あるいは、この国はまた、いつの間にか気づかずに奈落の底に落ちていくのではないか。杞憂《きゆう》だといいのですが、そう思います。

三つの教育

総選挙（2021年10月）が終わり、マスメディア等でその結果について、いろいろな総括がなされています。しかしここでは、選挙結果についての是非ではなく、選挙を終えてあらためて感じた、私たちの社会に関するより本質的なことをお話しできればと思います。

それは、この国にはあまりにも「政治教育」が不足しているのではないかということです。「政治教育」とは、狭い意味での「政治」に関する個別の知識を教育することではありません。社会の成員が、子どものころから社会への参加意識や責任感、またそのための具体的な知識や技能を身につけるということです。しかし、選挙の投票率を見ても、選好の傾向を見ても、この国では国民は政治に対して、いまだに真の「生産者」とはなりえておらず、せいぜい「評論家」や「消費者」の立場に追いやられているだけなのではないかと疑わざるをえません。マスメディアも、いわゆる「政局報道」ばかりで、海外メディアと比較しても、政策の内実や市民活動についての報道がきわめて貧弱です。この国では〈政治〉は日常生活から可能な限り遠ざけられ、自分たちが日々創りだすものではなく、常に永田町で繰り広げられる三文オペラに矮小化されてしまいます。

この〈政治〉のほかに、日本の学校で十分に教えられていない最重要テーマがあと二つあります。それはほかでもなく、〈宗教〉と〈性〉。〈宗教〉とは、人はなぜ生きるのかという根源的な問いをめぐるもので、これも〈政治〉と同様、明確な答えはなく、文学や哲学、倫理学などの知を総動員して取り組まなければなりません。そして〈性〉の教育は、多様性や人格の尊重、人間の尊厳についての教育です。

政治教育と宗教教育と性教育。この相互に関連し、また人間にとってもっとも本質的な問題を扱う三つの教育が、教育現場でタブー視され、空洞化しているために、日本の教育のみならず、社会自体が薄っぺらになり、また国全体のエネルギーや活力もそぎ落とされているのではないか。このことは、以前より感じてきたことですが、いまは確信に変わりつつあります。

「責任」とは応答しつづけること

ちょっと固い話題ですが、「責任」について考えましょう。責任は英語で「responsibility」あるいは「accountability」といいます。下手に直訳すれば「応答可能性」「説明可能性」といったところでしょうか。日本語では「責任を取る」というのは、権限を持っていた人が辞職したり謝罪したりするというイメージがありますが、英語では「訊かれたことに対して、納得のいくまで応答しつづける」というニュアンスです。

そういう意味では、地球環境問題やエネルギー問題への私たち（おらって）の取り組みも、次世代の子孫や、遠いところに住む市民の〈声〉に応答しつづける＝「責任」を取る、という活動であると思っています。当座、完全な答えを出せなくても、最後まで「真摯に答えつづけようとする」姿勢や努力が重要ではないか。未来や社会に責任を取るというのは、そういうことかな、と。

他者への説明や説得を拒み、ひたすら権限や実力だけに頼る風潮が目につくようになりました。「勝てば官軍」という悪い風潮です。「責任ある大人」としては、私たちも切に慎みたいと思っています。

処理汚染水問題をめぐって——壮大な「無責任プロジェクト」

２０２３年8月24日に政府によって強行された、福島第一原子力発電所からの「処理汚染水」問題について。まず、そこで争われているのは、放出された（あるいは今後きわめて長期にわたって放出される）水が、「ＡＬＰＳ（多核種除去設備）によって〝浄化〟された」（経産省）人畜無害な水なのか、あるいは、トリチウム以外にもプルトニウムなど多くの放射性物質を含んでいるがゆえに、かならず環境汚染をもたらす水なのか、ということです。私は後者であると確信していますが、百歩譲って確実に言えるのは、その水が「危険である」ということを１００％証明できないのと同様に、その水が「安全である」ということも、１００％証明できないという事実です。ここでは「科学的」に、みずからの「科学的」認識の限界について謙虚である必要があるでしょう。とくに最近メディア等で見られた、もっぱら後者だけを「非科学的」であると指弾するような風潮こそが、すぐれて「非科学的」であると言わざるをえません。

次に、原発をめぐる問題についてはよく生じることですが、このように不確実な状況のなかで何か重要なことを決定しなければならない場合（それを仮に「科学を超えた問題」つまり「トランス・サイエンス問題」と呼びます）、何が重要かと言えば、その決定で影響をこうむる主体が、徹底的に熟議して、相互に納得できる解答を導きだすという民主的なプロセスにほかなりません。

今回見られたのは、まず、放出するという政治決定が先にあって、それを国民に納得させるため、政府が広告代理店につくらせた「トリチウムくん」というキャラクターなどを使って安全性キャンペーンを試みたという事実です。それは批判を受けてやめになりましたが、政府の姿勢はこれまでも「国民と一緒に考える」というより「国民に信じ込ませる」というほうに近いものでした。また、漁業関係者の不安が依然として払拭《ふっしょく》できずにいるにもかかわらず、当事者との対話が不十分なまま海洋放出が強行されました。例のごとく、政治家が刺身を食べたりするパフォーマンスをあちこちで見かけましたが、彼らが今後何十年にもわたってそれを続けるとは誰も信じることはできません。首相は「何十年にわたろうと全責任をもつ」と明言しました。ただ、それに「あなたが?」「どうやって?」と素朴に疑問をもった人も少なくありません。

中国の日本産水産物の全面禁輸措置は、たしかに大げさで乱暴な気もしますが、そもそも近隣諸国への説明や同意などをスキップしてことを進め、そのような甚大な結果をもたらした政治の責任でもあります（政治は「結果責任」です）。しかも、この問題を懸念しているのは中国だけではありません。悲しいことに、世界中で「放射能汚染水を流した日本」というニュースが流れ、「Fukushima water（フクシマの水）」ということばすら登場しました。

これからいったい誰が、どのようにこの問題の「責任」を取るのでしょうか。当の東京電力はどうでしょうか。私には、この国でまた壮大な「無責任プロジェクト」が再稼動したように見えています。

「民意」とは何か

私は「おらって」の代表ですが、政治学者でもあります。客観的に政治社会を診ることを心がけるのですが、中でも「民意」とは何かについてよく考えます。フランスの啓蒙思想家ジャン＝ジャック・ルソーは、社会には善意や良心に基づく「総意」が存在するはずだとし、それに基づいて民主的な政治を行うべきだと考えました。ただ、いつの時代も、その「民意」を自分が体現しているのだと主張するインチキ権力者があらわれ、社会を混乱させてきました。

「民意」を手っ取り早く測るのは選挙ですが、ルソーは「国民は選挙の時の一瞬だけが自由であるにすぎない」と揶揄《やゆ》しました。実際、選挙では、多くの争点があったり、選挙後は公約が守られなかったり、そのときの「民意」を十全に反映しているとは言えないかもしれません。とりあえず代表制民主主義では、議員をはじめとする「代表」たちが出した結論が「民意」だということになっていますが、そもそも、それら「代表」たちが選ばれた理由が（たとえば原発再稼働の是非など）目前の決められるべき争点ではないことも多く、彼らの出す結論がかならずしも「民意」とイコールであるとは言えません。

ですから、こういった間接民主主義を補完すべく、世論調査や住民投票など、争点ごとに直接有権者が判断するしくみが重要になります。これらの措置を加えれば、さらに厳密な「民意」に近づいた判断が可能になるでしょう。現代の民主政治では、こういった多層的な複数の手段を用いて、限りなく「民意」に接近しようとする努力が必要です。

しかし、それでもまだ十分ではありません。単に市民がその時々の意見を反映させた「多数決」だけでは、ルソーがめざした善良な動機に基づく結論には近づけないかもしれません。現代の政治学では、「民意」が形成される過程を重視します。どれだけ参加者が情報を共有し、問題を理解しているのか、どれだけ相互の議論や検証を積み重ねたのかが重要です。専門家や有識者は、その際に重要な役割を果たします。個々の判断の前提となる事実関係や論理を明確にするからです。政治学では「熟議民主主義」と呼んだりしますが、真の「民意」とは、十分な時間をかけた、徹底した対話や討議を前提にしたものであることを再確認しておきたいと思います。

台湾デモクラシー

ショートステイですが、ゼミナールの学生たちを連れて4年ぶりに台北《タイペイ》に行ってきました。まず、台湾とはいえ、11月だというのにとにかく暑かった……。現地の友人に訊いても、かつて11月でこれほどの暑さの記憶はないということで、日本と同じく全地球的な温暖化の影響によるものだと思われます。

台湾は2024年1月に総統選挙を迎えますが、その意味でも、街に密かな〝熱気〟も感じました。バスの車体やビルの壁面にまで候補者の顔が掲示されるというのは、何というか鷹揚《おうよう》な選挙文化です。大陸中国との関係性、戦争のリスク、エネルギー政策など、台湾の未来を決する争点と選挙の行方に、提携校の台湾の大学生たちも無関心ではいられないようでした。現与党の民進党の候補者だけが、これまでの脱原発政策をさらに推進する方針で、脱原発か否かは重要な争点のひとつになっています。しかしいずれにせよ、若い人たちや市民がどこかで政治を「考えている」姿は、日本と比較すると、まだまだ社会に残る健全なエネルギーを感じました。民主主義と市民社会の自立的な力については、私たちは台湾の人々に学ばなければなりません。

私は以前より、再生可能エネルギーへのエネルギー転換と民主主義には深い関係性があると思ってきましたが、台湾はその東アジアの教科書であるとも思っています。台湾の地域研究者ではないので所詮あてずっぽうなのですが、台湾の活気ある民主主義を支える根っこに、庶民の日常的なコミュニケーションのありかたがあると思います。台湾の友人たちに会っても、学生たちに会っても、街中の子どもたちや食堂の人々を見ても、ごく開放的で、社会が寛容さに満ちあふれています。日本のように過剰に他者の視線を気にすることもありませんし、化粧をしていない成人女性も多く見かけます。

今回、友人に連れられて、山頂にある温泉施設を訪れたのですが、山小屋のようなところで脱衣場もなく、入ったとたんに露天の粗末な湯舟が広がっていました。自分で持ってきたスピーカーの大きな音で演歌を聴いているおじさんをはじめ、老いも若きも全裸で、めいめいが自由に楽しんでいました。私も、湯船に面したベンチのような木の台で全部の服を脱ぎ捨てて、毎日温度が違うというアバウトな源泉に友人と浸かりながら、「これぞ台湾！」と心の中で叫んでいました。

どんなにGDPが上がって、街が小ぎれいになっても、台湾の民衆が日々実践している開かれたコミュニケーションは不滅です。私はかつてアメリカ留学をしていたときに、アメリカの「ロッカールーム・デモクラシー」を体験しましたが、他人どうしが気楽に話しあえる、そのような社会の気風こそ民主主義の土壌なのだと思います。

「おらって＝私たち」の論理

「おらって」は新潟の方言ですが、「私たち（we）」を意味します。この「we」の対義語は「they（彼ら）」であるような気がしますが、実際には「we」の反対は「me（私）」ではないかと私は思っています。自己中心主義を「ミーイズム（meism）」と言いますが、これは「いまだけ、カネだけ、自分だけ」の「自分だけ」にあたります。このミーイズムという〝病理〟は今日、世界中をくまなく覆うようになりました。先日、ある芸能人が「ホームレスの命はどうでもいい」と「本音」

を吐露して批判されましたが、こういった〝他者の尊厳〟への不感症は、なにも彼だけでなく、広く若い人たちにも蔓延しているように感じます。

最近では、「意思疎通ができない障がい者は不必要である」と公言し、実際に多くの命を奪ったあの20代の若者や、「俺はくそみたいな人生。幸せそうな人生を送る女性を殺してやろうと思った」と電車内で刃物を振り回し逮捕された30代の男を思い出します。こういった若者たちの〝世界観〟に共通しているのは、命や人生には明確に価値の上下関係があって、それがもし「価値が低い」状態であれば、それはきわめて耐えがたい、惨めなことであり、そのような命や人生なら無いほうがましであると信じ込んでいる点です。いつも独りぼっちで、ビクビクしながら、ただひたすら世間から落ちこぼれないように懸命にもがいている、そんな荒涼とした心象風景が浮かんできます。

すべてが商品化されてしまう現代資本主義社会では、どうしても人間の〝尊厳〟についての感性が摩耗していきます。市場価値とお金がすべて……その世界で浮遊する無数の「me」は、何の寄る辺もなく、日々際限のないグローバルな生き残りゲームに身を削ります。けれども、そのゲームが行きつく先は〝人間〟そのものが完全に否定されてしまう、全体主義的な世界（ディストピア）にほかならないでしょう。

もちろん、個々の人生や命など、所詮それ自体はちっぽけなもの。短い人生で、どんなに大事を為したと思っても、結局はこの惑星時間の塵《ちり》のようなものです。人間は万人が平等にちっぽけな存在です。しかし他方で、すべての人生や命は、この宇宙で唯一無二の、かけがえのない〝尊厳〟を湛《たた》えているという真実を忘れてはなりません。

「おらって＝私たち（we）」は、この個々の人間の〝尊厳〟という共通基盤によって相互につながります。そのお互いの〝尊厳〟を常に確認し、守り、育むために協力し、「社会」を構成します。「me」はバラバラに「世界」に投げ出されているだけで、結局「世界」を構成することはできません。「私たち（we）」の論理だけが、個々の確固たる〝尊厳〟をつなぎあわせ、常に新しい「社会」や「世界」を創りあげることができるのです。

第3章
〈3・11〉から何を学ぶのか

「卒業」しないこと

戦後（敗戦）から80年近くが経っても、戦争を二度としてはならない、という先人たちの誓いを忘れないでいたいと思います。人間はとかく忘れやすいので、かつて経験した失敗や悲劇を、しばしばくりかえしてしまいます。それゆえ、愚行をくりかえさないためには、一度犯した失敗をけっして忘れず、それがなぜ起こったのか、先人の声に耳を傾けながら、ずっと検証しつづけることが必要になります。

「おらって」は２０１１年の原発事故という人類史的な悲劇から生まれました。あの失敗がなぜ生まれたのか、それをずっと問いつづけることが活動の原点です。２０１１年の事故は、いわば「第二の敗戦」です。大失敗でした。しかし、その失敗の原因は、東京電力や政府はもちろんのこと、私たち自身がつくりあげてきた社会のありかたにも見出すことができます。その社会のありかたを変えることができなければ、きっとまた次の「敗戦」を経験することになるでしょう。なぜならば、「第一の敗戦」と「第二の敗戦」の失敗とは、その根っこを同じくしているのではないかと私は思うからです。

日本人は「卒業」が大好きです。すぐに何でも「卒業」しようとします。多忙にまかせて過去を水に流し、過去は「いま」の都合のいい手段（思い出）にすぎなくなります。過去の土台の上に現在や未来があるのではなく、過去も未来も、すべてが現在の都合で常に作り変えられていく。それはいわば、「永遠の現在」という不安に満ちた無重力状態で永遠に生きつづけることを意味します。たしかに〝死んで〟はいないが〝生きて〟もいない、歴史的に空虚な（無間地獄のような）生……。

この、いまで言う「いまだけ、カネだけ、自分だけ」という乾いた世界は、まさに「第一の敗戦」と「第二の敗戦」の共通の背景でもありました。人間の記憶は風化するかもしれませんが、そこから「卒業」してはなりません。なぜなら、これらのできごとは、あたかもすでに過ぎ去ったもののように見えながら、実はこれからの私たちの未来を暗示しているからです。

忘却は隷属への道。「総決算」とか「未来志向」とか、そのような政治用語には惑わされず、私たちが過去のきわめて重要な経験に佇《たたず》みつづけることが、いまは何よりも大切だと思っています。

新たな「安全神話」——東京電力福島第一原発事故から10年

先日、福島沖で水揚げされたクロソイから基準値を超える放射性物質が検出されたというニュースがありました。〈3・11〉から丸10年経っても、事故を起こした原発からは日々放射性物質が洩《も》れつづけている状態です。「アンダー・コントロール」と世界に向けて宣言したこの国の当時の首相は、他の無数の〝嘘〟とともに表舞台から姿を消しました。

この10年、この国の政府は、東京オリンピックの開催のために、新たな「安全神話」を懸命につくりあげようとしてきました。「安全」そのものではなく「安全神話」をつくろうとするのが、この国の特徴です。なぜ先の戦争に突入し、多くの犠牲を生み出したのか。この「第一の敗戦」の理由を振り返った場合でも、権力がつくりだす「神話」が果たした役割は絶大でした。そして「第二の敗戦」、つまりヒロシマ・ナガサキに続き放射線による故郷喪失を経験したフクシマ原発事故においても、「原発は絶対事故を起こさないはずだ」という「神話」の蔓延が、その背景に横たわっていました。

この10年で、福島も「被害を被ったことに対して鈍感であるほうが、命も暮らしも安泰という暗黙の了解が蔓延する社会」（ノーマ・フィールド氏）になってしまいました。この、「安泰」であるためには鈍感たれ、「現実」ではないところで生きよ、という社会のありようもまた、これまでの政府による政策がつくりあげてきたものだと思います。オリンピック、万博、リニア、カジノ、新高速道路建設、原発……。私たちはこれからもこういった、ほんとうは時代遅れの経済成長の「神話」の住人として生きつづけるべきなのか。そして、今後はもう「第三の敗戦」はないのか。福島原発事故から10年目に、あらためてこの同じ問いがくりかえし浮かんできます。

（２０２１年３月）

チョルノービリ事故から35年

今年（２０２１年）は福島原発事故から10年ですが、チョルノービリ（チェルノブイリ）原発事故から35年にもあたります。１９８６年４月26日、私は当時大学生でしたが、バブル景気に突入しつつあった日本で、「あれはテレビが爆発するようなソ連だから起こったのだ」「科学技術大国の日本には関係がない」といった楽観的な雰囲気も蔓延していたように思います。少数の例外を除いて、その25年後に同じ規模の過酷事故が日本で起こるなんて、誰もが「想定外」でした。

その約5年後にソ連は崩壊しました。国策としての原子力発電は、しばしば軍事政策とも結びつきながら、国家の威信をかけて推進されます。したがってその失敗は、国家機構そのものの失敗となり、ひいては政府による支配の正統性自体を突き崩してしまうわけです。

日本では、〈3・11〉の大事故の際にはちょうど政権交代後で、民主党政権が事故対応に当たったため、それまで実際に原子力を推進してきた自民党が非難の矛先をかわすことができました。なんという歴史の皮肉でしょうか。本来であれば、長らく国策を先導し「安全神話」を喧伝してきた張本人たちが責任を取らなければならないはずでした。

チョルノービリの受苦は、35年経っても終わっていません。35年経っても放射線は消えません。いまだに人が住んではならない荒廃した大地が広がり、多くの人々ががんに苦しみ、また、いつがんになるのかという不安の中で生きることを強いられています。そして、これはおそらく福島の「これから」でもあるでしょう。

私たちにできること、あるいはしなければならないことは、もう二度とこのような悲劇を再上演しないように、しっかりと「反省し直す」ことではないでしょうか。地球の裏側に住むドイツの人々が、まさにこの福島の経験を自分たちの問題としてとらえ直し、それによって自国の進路をも変更したという事実は周知の通りです。けれども、チョルノービリに続いて、私たちは自国に起きたできごとですら、いまだにしっかりと反省できてはいないのではないか。たとえば昨今の「復興オリンピック」というかけ声も、それはただもう「福島の経験を忘れなさい」というだけの国家的なスローガンに堕してしまっているのではないか……。

チョルノービリのときにもそうだったように、私たちが〈３・11〉を「あれは福島の問題で、私には直接関係ない」と思うとき、私たちはまさに次の悲劇へと向かってカウントダウンを始めているのだと思います。

東京オリンピックと「失われた30年」

第2回目の東京五輪。第1回目は１９６４年でした。私が生まれる2年前です。新潟地震があったものの、東海道新幹線が開業し、シャープやソニーが「電子そろばん」（電卓）を発表した年です。「所得倍増」「高度経済成長」のただ中で、日本はひたすら上を向いて走っていました。

それから57年。私の理解では、この約60年間は、だいたい前後約30年ずつに分けて考えることができます。真ん中は、ちょうど冷戦が終わり、世界が新しい混沌へと向かっていった１９９０年代です。１９９５年には阪神淡路大震災、オウム真理教による地下鉄サリン事件がありました。80年代に中曽根政権下で「新自由主義」が日本にも導入され、私の理解では、そこから日本が壊れていきました。けれども90年代に入るまでは、私の大学時代を彩ったバブル景気に象徴されるような、「戦後の明るさ」が社会に蔓延していました。

一方、後半の30年は、いま思えば「失われた30年」でした。日本はなすすべもなく、ただ世界に翻弄され、新しい時代に向けての準備を怠ってきました。政治指導者やエリートたちは、かつての「ジャパン・アズ・ナンバーワン」のノスタルジーや成功体験に溺れながら、どんどん内向きになっていったと思います。近代日本でもっとも長く（合計約9年間）権力の座にあった安倍政権は、この失われた後半期日本の象徴的な存在です。

２０２１年の現在、残念ながら日本は社会の底が抜け、格差も拡大し、産業も希望も多くを失いつつあります。二度目の東京五輪は、その暗雲を払拭するはずでしたが、「復興五輪」も「安心安全の五輪」も、ただの政府のお題目（嘘）に終わってしまいました。これから、耳当たりの良い虚構から目覚めた私たちが迎えるのは、１９６０年代当時とは真逆の厳しい現実にほかなりません。

オリンピック、リニアモーターカー、高速道路、万博、そして原子力発電といった、私もかつて見た昭和の夢は、もうすっかり色あせています。この「失われた30年」の遅れを取り戻し、次の時代の創造を準備するための次の30年を見据えて、いま私たちはいったい何をするべきでしょうか。まずは、この目も当てられないほど荒廃した日本の現実を直視する〝勇気〟をもつべきなのかもしれません。

〈3・11〉から11年

〈3・11〉から11年が経ちました。短かったような、長かったような。私はこれまでずっと〈3・11〉を「第二の敗戦」と呼んできましたが、このフレーズはまったく流行りませんでした。このできごとが何か、自然災害とだけ記憶されていて、「人災」あるいは「文明災」であったという側面が忘れ去られてきたように思います。最近になって、ようやく最高裁で東京電力の事故責任が確定的になったというニュースも聞きますが、政府の責任、それから戦後ひたすら便利で安楽な社会を求めつづけた私たちの責任については、まだまだ議論が深まっていません。かつて、都（京都）の大火災に際して鴨長明が『方丈記』で嘆いたように、古来よりこの国の民は、すべてを水に流すように忘れ去るのが精神の流儀なのかもしれません。

反省なき民。それは「哲学」のない民です。〈3・11〉は、「文明」の粋を結集させた、唯一の戦争被爆国における「原子力の平和利用」というプロジェクトが破綻し、「日本沈没」の寸前にまで及んだできごとです。このできごとに、精神的にも文化的にも、政治的にも社会的にも、全力で取り組むことが私たち同時代人の使命であると思うのですが、またもや私たちは「忘却」という病におかされ、第三、第四の「敗戦」を迎えるしかないのでしょうか。

「おらって」は〈3・11〉をけっして忘れませんし、ヒロシマとナガサキをけっして忘れないことと同じ文脈にあります。それは、現代に生きる私たちが、老いた独裁者が核兵器の使用をほのめかし、それに呼応するかのように、大国主義の夢を復活させるべく、この国の愚か者たちも核保有の声を上げつつありますが、その愚かな世界史への逆行を、なんとしても押し止めなければなりません。

（2022年3月）

77＋77

2023年は、明治維新から77年目にあたる敗戦（1945年）から、さらに77年目の年になります。岸田首相も、1月の施政方針演説で冒頭そのことに触れました。近代日本の大きな転換点であった明治維新と敗戦から、いまはさらに第三の転換点を迎えている、といったニュアンスの演説内容でした。

けれども、私は少し違った見方をしています。敗戦を境にすべてが変わったのではなく、戦前と戦後はむしろ連続していた、もっと言えば、明治以来の「富国強兵」政策は、この国でずっと追求されつづけてきたのではないかということです。敗戦で連合国に牙を抜かれ、「強兵」をいったん断念したように見えた日本ですが、指導層の一部には、やがて再軍備を果たそうとする勢力がずっと息づいてきました。その勢力は近年またムクムクと勢いを拡大し、平和憲法の改定や防衛費倍増の牽引役を果たしています。

かつて「１９４０年体制」という議論もありましたが、日本の官僚制も、戦前からその基本的体質は変わっていません。かたちはずいぶん変わったとはいえ、天皇制も残ったままです。加えて言えば、オキナワの「植民地化」も終わってはいません。この国は、明治の国民国家の建設以来、いまだ〈近代〉を走りつづけているのです。

明治が始まってから77年後、ヒロシマとナガサキに原爆が投下されました。この敗戦の意味は、もっぱら〈力〉によって、あらゆる犠牲をものともせず、ただ〈上〉だけを見て走りつづけてきた「明治発〝富国強兵〟国家プロジェクト」の破綻だったと言えます。このとき日本は、新憲法にも書き込まれたように、根本から生まれ変わり、〈力〉の論理から脱却する新しい世界のつくり手になるはずでした。しかし、いまとなっては、その「転換」は十分に果たされなかったのだと言わざるをえません。戦後は、今度は経済という〈力〉によって、ふたたびアジアを「植民地化」し「富国」を実現しました。私たちも、その恩恵をこうむったことは言うまでもありません。

２０１１年3月のフクシマ。市民を恐怖に陥れたのは、今度は原爆ではなく原発でした。私はこれを「第二の敗戦」と呼んでいます。「科学立国」をめざし、テクノロジーの粋を集めた原子力の「平和利用」は破綻したのです。けれども、敗戦で破綻したものをけっして認めようとしない人々が、またしてもこのゲームを続けようとしています。

明治維新から（77＋77＝）１５４年経った現在の日本が真に取り組むべきなのは、戦前への回帰でも、戦後の延長でもない、〈近代〉を丸ごと反省した上に成立する、22世紀に向けたまったく新しい社会の姿を構想することではないでしょうか。すぐそこに見えてきた「第三の敗戦」を迎える前に、そのことにもうそろそろ気がつくべきではないかと思っています。

ペトロ・マスキュリニティ

「ペトロ・マスキュリニティ（petro-masculinity）」ということばを知りました。「ペトロ」は石油（産業）、「マスキュリニティ」は男性性（男らしさ）を意味します。カラ・ダジェット（Cara Daggett）さんというヴァージニア工科大学の研究者の論文「ペトロ・マスキュリニティ――化石燃料と権威主義的欲望」（２０１８年）に出てきます。

ごくごく簡単に言えば、化石燃料は単にエネルギーや経済の問題であるだけでなく、脱炭素のエネルギーシステムを危機にさらすようなアイデンティティや権威主義をもつくりだしているのではないか、という指摘です。

これをもっとイメージしやすくするとすれば、気候危機を否定する保守的なアメリカ人男性、たとえばドナルド・トランプ米前大統領を思い出すのがよいかもしれません。西欧（アメリカ）が築いてきた白人による家父長的な秩序を愛し、「偉大なアメリカよ、もう一度！」と訴えて人気を博した、あのトランプです。あるいは、「西側」との対決を謳《うた》いながらも、みずからは石油や天然ガスを武器に、国内の市民的自由を弾圧しながら戦争を続けるプーチン大統領を想起してもいいかもしれません。

社会の構成を成り立たしめているエネルギーや物質的な基盤が、その社会の文化的特徴や心理的傾向を一定程度方向づけるという議論は、歴史を振り返ると十分に頷《うなず》けるでしょう。「石油の時代」とはまさに帝国主義の時代であり、欧米の列強は、中東諸国の権威主義的な体制を擁護し、それを利用することによってエネルギーを調達し、みずからの「文明」を築いてきました。「文明」とは言っても、そのための戦争や暴力は得てして肯定されました。

もっとありていに言えば、石油や天然ガスを基盤とする社会は、家父長制やミソジニー（misogyny=女性嫌悪）と親和的だったのではないか、ということです。石油や天然ガスはこれまでもずっと、いわば「オヤジ臭いエネルギー」だったのではないか。そういえば、トランプもプーチンも、いたって「マッチョ」ですね。しかし戦争が長引き、世界の不安が増すにつれて、そんなマッチョさを待望する人々も増えつつあるのではないか、とも思います。そして、それがいま、いちばんの心配ごとです。

戦場の痛み

ウクライナ戦争はいまも続いています。今日も、ロシアがウクライナ全土にミサイル攻撃し、国民1000万人が電気を使えない状態にあるというニュースが届きました。行き詰まったロシア軍は、前線の兵士だけでなく後方の一般市民をも無差別に攻撃するようになっています。これが現代戦争の真実です。

とりあえず、いまのところは戦争の不安もなく、今日もふんだんに電気を使って生活を営んでいる日本の私たちは、生活の場が戦場になっている人々の痛みについて、なかなかわがことのように想像することができません。言ってみれば、いつも抽象的に、漠然と戦争を怖れながら、ウクライナの人々に同情しています。そして、この「抽象的な怖れ」は、当座の自分の身の安全を前提としていて、「エネルギー不足だから、老朽化した原発でも再稼動が必要だ」とか「隣国の脅威に備えて、わが国も攻撃的な兵器を備える必要がある」といった、実際はとても飛躍した議論の呼び水となっています。自分とは切り離された悲劇や脅威が遠くにあって、それが身に及ばないように、自分ではない誰かが〝盾〟となってくれる。そういう心理的な前提があるように思います。

現代の戦争は、何が〈現実〉であるのか、それをさまざまな情報操作やフェイクニュースによって大衆に信じ込ませる技術が駆使されます。実際の戦場の痛みは限りなく抽象的になります。実際に自分の住んでいる家が破壊され、愛する人が瓦礫《がれき》の下敷きになり、自分の身体から流れる血の臭いがするまでは、戦争も破壊も、ずっと抽象的なままです。「戦争」は、毎日携帯電話に流れ込んでくる映画の暴力シーンやゲームとなんら変わりません。

しかし、ほんの昨日までウクライナの市民にとっても戦争は抽象的でした。まさか自分の住んでいる街が瓦礫の山になるとは、想像すらしなかったでしょう。戦争とは何か。抽象的なレベルで考え、自分の生活の現実から切り離してとらえただけでは、かならず間違えます。もし原発を再稼動するという決断をするなら、ほかの誰でもなく、まさに自分が原子力災害のただ中でサバイバルしなければならなくなる可能性を覚悟する必要があるでしょう。また、もし攻撃的なミサイル兵器を大量に配備するという選択をするなら、近い将来、同じミサイルが自分の街や家にも降りそそぐという想像力が必要です。

いまもきっと、極寒の地で電気もないまま夜を過ごすたくさんの市民がいます。それが明日の自分たちであると考えられるかどうか。世界中で生起している戦場の痛みを、どれだけ自分の生活の中でリアルに想像することができるか。それがいまの時代に、真に正気を保つ重要な秘訣であるように思います。

攻撃される原発

ウクライナ戦争が終わりません。いかなる理由があるにせよ、突如他国を軍事的に侵略し、領土を接収することは許されません。ひとりの老人に権力を集中させてしまったロシアは、明らかに誤った道を選んでしまいました。ロシア軍は侵略直後、チョルノービリ原発を占拠、3月にはザポリージャ原発を攻撃しました。

なぜロシア軍は、まず原発を軍事目標としたのか。諸説ありますが、ウクライナが現在も約半分の電力を原発に依存していたということは大きな要素だと考えられます。ザポリージャ原発は欧州最大の原発でした。チョルノービリ原発は停止していたので、ほかの地政学的な、あるいは象徴的な理由もあったかもしれません。けれども現代戦争では、まずは放送局やライフライン、エネルギー拠点がターゲットになるということが、あらためて明らかになりました。

原発が周辺地域に計り知れないリスクをもたらすという事実に加え、そこで生み出される電気はけっして「安い電気」ではなく（むしろ最高に「高い電気」であり）、その推進が再生可能エネルギーへの転換を阻み、かえって脱炭素社会を妨害し、あらゆる意味で産業の停滞をもたらすことは、もう誰の目にも明らかになりつつあります。しかし今回の戦争ではさらに、有事には原発が軍事的な第一目標になるという事実が再確認されました。ですから、原発を自国内に持っているということは、いわば外国の核兵器を自国内にかかえているようなものだとも言えるでしょう。

新潟には世界最大の原発があります。ここが他国のミサイル攻撃のターゲットとして設定されていないと、誰が確約できるでしょうか。新潟を守るためには、二つの方法を追求するしかありません。ひとつは新潟から原発を一刻も早くなくすこと。二つめは、東アジアでそのような緊張関係が醸成されないように、普段から最大限の外交的な努力を積み重ねること。ウクライナの戦争に乗じて最近、原発を推進しつつ核武装を唱える人々の声が聞こえてきますが、それはもっとも愚かな破滅への道です。おらって（私たち）は、ヒロシマ、ナガサキ、フクシマ、そしてふたたびチョルノービリから学んで、新しい希望の道を歩みたいと思っています。

原発回帰という怪奇現象

現政権は、現在世界の長期的トレンドである「原発ゼロ」に向かっていくのではなく、逆に原発回帰へと時代を逆走しています。ウクライナ戦争で世界的な資源争奪戦が始まってしまい、もとより「資源小国」の日本は、多少エネルギー転換を遅らせてでも急場をしのがなければならない、ということでしょうか。国民も、これ以上電気料金が高くなるくらいなら、すでにある原発を動かすのは仕方がない、と納得している人も多いかもしれません。

しかし、よく考えると、第一に、原発回帰に突き進むことと電気料金が安くなることとは、ほとんど関係がないということに気がつきます。東北大学の明日香壽川《じゅせん》さんによれば、アメリカの投資会社 Lazard や、エネルギー経済に詳しい大島堅一さん（龍谷大学教授）の試算でも、原発の運転延長コストは再エネ新設コストと同じかそれよりも高く、そもそも電力各社の電気料金も、個別経営資産の価値評価や事業ポートフォリオ、財務状況など多くの要素がかかわるもので、それほど単純ではありません。四国電力は原発を再稼動しても値上げを申請していますし、再稼動した電力会社の利益は、再稼動していない電力会社よりもかならずしも好転していません。もはや「原発は高い」というのが世界の常識になっているのです。

第二に、原発回帰することで、ますますエネルギー転換が遅れ、世界から取り残されることになります。これは未来への明らかな負債となります。現政権の「ＧＸ（グリーン・トランスフォーメーション）会議」（ものものしい名称ですが、いつもながら中身は？です）では、原発回帰と再エネ推進が同時に追求されるという作文がなされています。しかしこれは、ブレーキとアクセルを同時に踏むようなものです。送電線の空き容量問題を含む、電力会社の〝原発事情〟によって、どれだけ再エネ事業が大きく阻害されているかについては、「おらって」で事業にかかわっているみなさんはうんざりするほどよく知っています。

第三に、「未来への負債」ということでは「安全」の問題があります。原発が出す放射性物質（核のゴミ）の問題もまったく解決しておらず、さらに、ウクライナ戦争で明らかになったように、原発は事故の恐怖のみならず、有事の際に確実に軍事目標にもなってしまうという現実がありま す。原発を持ちつづけるというのは、実際は仮想敵国の核兵器を自国内にかかえつづけるのと同じだということになるでしょう。

当座しのぎにもならず、ただ将来に禍根を残すだけの原発回帰は、このように、まったく合理的な理由が見当たらず矛盾だらけです。原発回帰という怪奇現象がなぜ起こるのか。政府（経産省）が原発に固執するのは、どうやらほかの理由がありそうです。この国を滅ぼしかねない政策決定について、私たちは一見もっともらしい権力の詭弁を見抜き、そのほんとうの理由を追及しなければなりません。

映画『オッペンハイマー』を観て

話題の映画『オッペンハイマー』（クリストファー・ノーラン監督、2023年）を観てきました。すでにたくさんの真面目な評論が出ているのですが、私は不真面目にも、自分のごくマニアックな興味に基づいて、映画の細部に勝手に「萌《も》え」ながら楽しんできました。

この作品には、オッペンハイマーはもちろんのこと、ニールス・ボーア、ヴェルナー・ハイゼンベルク、エドワード・テラー、リチャード・ファインマン、アーネスト・ローレンス、エンリコ・フェルミ、クルト・ゲーデル、そしてアインシュタインなどなど、20世紀を代表する科学者たちが登場します。実は私は、中学生のときからアインシュタインに憧れて、将来は理論物理学者になるべく理数科のある高校に入学しました。しかしあいにく落ちこぼれて、また文学などに目覚めて「文転」（理系の進学をあきらめること）した経緯があります。それでも現在まで、平和研究者のはしくれとして、核エネルギーや核テクノロジーをめぐる政治にずっと関心をもってきました（私が平和問題に関心をもったのは、アインシュタインが晩年、平和運動に取り組んだ事実も少なからず影響を与えています）。私にとっては綺羅星のような往年の科学者たちが、しかも実物のビジュアルにかなり寄せた俳優たちによって生き生きと演じられており、さらに作品の重要な舞台のひとつとなっている（私も客員研究員だった）カリフォルニア大学バークリー校の１９５０年代の雰囲気までが再現されていて、もう「これは自分のための映画か！」と大げさにも思うほどでした。

ハーバード大学を飛び級してケンブリッジ大学に留学した秀才オッペンハイマーが、やがてなぜ原爆開発（マンハッタン計画）に取り組み、のちに後悔することになるのか、それを彼のまさに「内側」から描き出そうとする作品で、その背後にあった、科学（知）と政治（権力）、知性（合理性）と良心（愛）、正義（イデオロギー）と暴力（戦争）といったさまざまな葛藤が、みごとに表現されていました。もちろん、たとえば、ヒロシマやナガサキの視点から見れば、被爆の現実がいっさい描かれず、また会議で原爆投下の候補地を適当に選別するシーンに見られるような、〈加害〉と〈被害〉とのあいだにある天と地ほどの格差に、やりきれない怒りを抱くのは当然でしょう。しかし、それはまぎれもなく歴史的な「現実」だったのであり、この作品がすぐれているのは、まさにその〈加害者〉の現実と苦悩をストイックに描いたからにほかなりません。

そして、中でもとくに印象的だったのは、当時の「赤狩り」の現実です。アメリカで当時「共産主義」がいかにヒステリックに迫害されていたのか、そして多くの良心的知識人が、どれほどの不条理な恐怖に直面したのかが伝わってきました。オッペンハイマーの開発した最終兵器は、そもそもユダヤ人の宿敵であるナチス・ドイツを抑え込むためのものでしたが、今度はいつの間にか、社会主義のソ連に対抗するための手段へと変貌していきました。この作品は、そういった歴史的に重要な事実もしっかりと描いてあります。

一方、映画を見終わってふと気がついたのが、実は現在の日本でも本質はあまり変わらないのではないか、ということです。さすがに核兵器は（まだ）持たないまでも、どこまでも原発を推進しようとする原子力ムラの大きな勢力、そして政治の世界に依然として残存する共産主義への偏見、また最近は、化石燃料や原子力に代わる再生可能エネルギーの推進派に対しても見られる、いわば「21世紀の赤狩り」の予兆……。

先日、内閣府の「再生可能エネルギー等に関する規制等の総点検タスクフォース（TF）」のメンバー（自然エネルギー財団の事業局長）が、同会合に提出した資料に中国の国営送配電企業（国家電網公司）のロゴが「透かし」で入っていた問題の責任をとるかたちで辞任に追い込まれました。齋藤健・経済産業相によれば、「自然エネルギー財団と国家電網公司との関係性の懸念が払拭されるまで、経産省関連の有識者会合でのヒアリングに自然エネルギー財団を招かない」とのこと。国家の機密情報を扱う会社員や研究者など民間人の個人情報を政府が調べて管理する「経済安保情報保護法案」の成立にも見られるように、この国では、学問や科学技術、経済分野も、着々と

「安全保障化」（戦争準備）が進行しています。私たちは、いまだ20世紀の宿痾《しゅくあ》から逃れることができていないのかもしれません。

周回遅れの2050年

２０２０年11月、菅義偉政権は、温室効果ガスを２０５０年に実質ゼロにするという宣言を行いました。「実質」というのは、森林吸収や排出量取引などで吸収される量を差し引いて、全体として温暖化ガスをゼロ（カーボン・ニュートラル）にするという意味です。

しかし、〝いまさら〟という気もします。国際社会ではこれはもはや常識で、国内でもすでに多くの自治体が「炭素ゼロ」の目標を謳うようになっていました。国連の「Race to Zero（ゼロへの競争）キャンペーン」[*1]によれば、すでに世界では４５０以上もの都市、約５５０もの大学が「炭素ゼロ」を宣言しています。ですから実際は、日本政府も遅ればせながら、ようやく重い腰を上げたというところです。

とはいえ、自分たちの「文明」的生活がよって立つ地球環境そのものが危機にあることを、財界も含め、これまではかなり鈍感だった人々も理解できるようになってきました。「持続可能な開発」「ＳＤＧｓ」「ＥＳＧ投資」「ＲＥ１００」などの標語も、しだいに人口に膾炙《かいしゃ》しつつあります。

けれども、危機感というのは、いつの時代も得てして程度差が大きく、上記のようなことばを使う人々の中でも認識に差があるようです。日本政府の場合、いまのところ２０５０年に脱炭素にするためにこそ原子力が必要だ、という論理になっています。直近の第五次エネルギー基本計画では、原子力の位置づけは「数年にわたって国内保有燃料だけで生産が維持できる低炭素の準国産エネルギー源として、優れた安定供給性と効率性を有しており、運転コストが低廉で変動も少なく、運転時には温室効果ガスの排出もないことから、安全性の確保を大前提に、長期的なエネルギー需給構造の安定性に寄与する重要なベースロード電源である」となっています。いまとなっては、この文章の多くの箇所に無理や事実誤認、時代遅れの表現が見られることは言うまでもありませんが、ともかく、２０３０年段階でもわが国の22～20％（5分の1以上）のエネルギーを原子力でまかなうと明記されています。

おそらく、仮にこの目標を達成しようとする立場から言っても、20％以上ものエネルギーを原子力が提供することは、大規模な新規建設などを前提としない限り、かなり難しくなっており、今後政府はこの比率を少なくとも10％台に引き下げていかざるをえないでしょう。ただしかし、それでもなお、それがほんとうに「未来のエネルギー」政策であるのか、という疑問が残ります。この原発依存という点でも日本は、世界からずいぶんと取り残されていると言えるでしょう。

原点に戻りましょう。世界で認識されている「気候危機」とは、単に二酸化炭素排出量をめぐる問題にとどまらず、ライフスタイルや経済社会そのもののありかたの〝変革〟の問題としてとらえられています。つまり、これまでの惰性や前例から決別し、まったく新しい社会を築くことができるのかが問われているわけです。そして、これもしだいに多くの人々が気づきつつあるのですが、原子力産業こそが、まさにこれまでの既得権益層がつくりだし、それにどっぷりと依存してきた〝社会的惰性〟の塊にほかなりません。〈3・11〉から10年以上経ちましたが、残念ながら依然として私たちはこの〝惰性〟の虜《とりこ》であると言わざるをえません。

２０５０年。21世紀のちょうど真ん中で、この世界はどうなっているでしょうか。私は、もし運良く生きていれば84歳になっています。この世界の美しい可能性を見ながら静かに去っていけるのか、あるいは、子どもや孫たちが既存の産業文明で十分に解決できなかった諸問題で苦しんでいるのを見ながら死んでいくのか。その分岐を決するのは、やはりこれからの10年ほどの私たちの勇気ある選択にかかっているのだと思います。

これから、おそらく気候危機は人類にとってますます喫緊の課題になっていくでしょう。私たち市民の一人ひとりも、２０５０年という時間幅を意識しながら、普段の活動をしていく必要があると思っています。

＊1　Race to Zeroキャンペーン　https://unfccc.int/climate-action/race-to-zero-campaign

「新しい社会」をつくる新しい産業

先日、テレビのニュース番組（「ＮＥＷＳ23」）で、ＳＤＧｓに取り組むいくつかの企業が紹介されていました。企業活動が道義的で倫理的であることが、むしろこれからの新しいビジネスチャンスを呼び込むのだという現実をしっかりと伝えていました。

まずは、石灰石を原材料とする新素材「ライメックス（LIMEX）」で枯渇資源を守り、環境負荷を劇的に減らす製品開発をしている株式会社ＴＢＭ。紙も食器も、地球上でどこでも採れる石灰石からつくります。破れず水に強い紙は、ゴミになっても環境負荷をかけません。

次に、山形県鶴岡市に本社を置くスパイバー（Spiber）株式会社。クモの糸を参考に、約12年の歳月をかけて開発したという合成たんぱく質素材「ブリュード・プロテイン」は、石油由来の合成繊維やプラスチックなどの素材に頼らない、地球環境保全に貢献する素材です。何しろ「ブリュード（発酵）」ですから、微生物の力でつくります。この革命的な新しい繊維がもたらす市場は計り知れないでしょう。

最後は、アイ・ティ・イー株式会社。２０２０年12月現在で従業員数はたった12人だということですが、電力なしで最大16時間の長時間冷蔵輸送を可能にする「アイス・バッテリー」の開発で、CO_2を大量に出すドライアイスに依存したこれまでの物流に革命をもたらすでしょう。この技術は、新型コロナウイルスなどのワクチンを長距離輸送する際にも大活躍します。

このようなＳＤＧｓ企業、ＲＥ１００企業が、ここ最近ものすごい勢いで無数に成長しています。また、こういった「新しい社会」の新しい原則に適った企業が、莫大な利益を生み出す時代になりました。逆に、この新しい潮流にいつまでも気がつくことのない企業は、どんどん淘汰されるでしょう。時代は加速しているように見えます。

「世界遺産」としての佐渡

いま、佐渡に向かう佐渡汽船の中でこれを書いています。新潟に移住してから何度訪れたことでしょう。「おらって」も、これまで何度も佐渡を訪れ、自然エネルギー開発の可能性を探ってきました。また現在は、佐渡出身の教え子で「おらって」会員でもあるＫさんが、島のまちおこしに目下奮闘中です。ほかにも、これまで島外からの多くのプロジェクトがやってきては撤退するようすを見聞きしてきました。しかし、「地方衰退」のご多分に漏れず、この島も人口減少と高齢化が進行し、いま乗っている佐渡汽船も赤字続きだと聞きます。新型コロナウイルスの打撃はもちろんのことですが、そもそも長期にわたる衰退のトレンドは、もう止めどないようにも見えます。

そんななかで、佐渡の金山を世界遺産にするというのはひとつの〝希望〟となっていますが、ようやく「推薦」が決定となったものの、歴史認識問題などで反対する国際世論もあり、その先の「登録」には暗雲がかかっているのが現状です。

「世界遺産」とは「地球の生成と人類の歴史によって生み出され、過去から現在へと引き継がれ、そして私たちが未来の世代に引き継いでいくべきかけがえのない宝物」（日本ユネスコ協会連盟）を意味します。ここで、いったんこの原点から考えてみると、佐渡の魅力とは、近世から近代にかけての金銀や鉱山開発にはとどまらない、多くの要素があることに気がつきます。世阿弥や宮本常一の名前で想起されるように、すでに日本の近代化以前に、中央集権化した〝都〟から遠く離れたところで育まれた、佐渡の豊かで多様な文化的伝統は言うまでもありません。また、近代化と「文明」化の過程で絶滅してしまった朱鷺《とき》の再生物語も、まさに「未来の世代に引き継いでいくべきかけがえのない宝物」にほかなりません。最近はあまり言われなくなりましたが、とくにこの朱鷺（ニッポニア・ニッポン）が再生するためには隣国中国の助けが不可欠でした。朱鷺は東アジアの平和と友好の象徴でもあります。

また、「朱鷺の聖地」といわれ、先述のＫさんの故郷でもある生椿《はえつばき》は、佐渡における自然農業、および自然環境と人間との共生を象徴する土地でもあります。そしてそれは、気候危機が叫ばれる21世紀に、きわめて重要なヒントを提供してくれるでしょう。

佐渡の金や銀は、世界経済に紐づけられ、工業化と中央集権化が進んだ近代日本の歴史をはっきりと映し出します。それゆえに、そこに歴史の光と影の両面があるのは当然のことです。もちろん、植民地主義の影も映り込むでしょう。それはそれとして、私が思うのは、「未来の世代に引き継いでいくべき」世界遺産としての佐渡は、この日本の〈近代〉を挟んだ、むしろそれ以外の歴史の部分にも見出せるのではないか、ということです。

私たち「おらって」が夢見るのも、いつまでも中央の石油に依存せずとも佐渡汽船が運航され、島に降り注ぐ自然のエネルギーで自立できるようになる佐渡の未来です。農薬のない大地を朱鷺が飛び交い、自然エネルギーで新たな産業と新たなライフスタイルが生まれる島。これは根拠のない夢想でしょうか。しかし、ほんとうにそうなったときこそ、佐渡島全体が、間違いなく文字通りの「世界遺産」として、胸を張って21世紀の世界に認められるようになるときなのではないかと思います。

〈東アジア自然エネルギー共同体〉の夢

2020年2月22日に新潟で開催予定だった「東アジア自然エネルギー共同体に向けて――エネルギーデモクラシーの実践と展望」シンポジウムは、新型コロナウイルスの影響で中止になってしまいました。ほんとうに残念でした。あれからずいぶん時間が経とうとしています。この構想は、自然エネルギーによって東アジアの〈平和〉をも創りだそうという試みで、私にとっては市民活動の最終的な目標でもあります。

東アジアは、核兵器という意味でも、原子力発電所という意味でも、世界でもっとも〈核〉が集中している「核地域」にほかなりません。ひとたびアクシデントが起これば互いに多大な被害が発生するという意味で、リスクを媒介にした〝運命共同体〟です。多少時間はかかっても、国境を越えて市民どうしが協力しあい、中央集権的で軍事につながりやすい原子力から自然エネルギーへの「エネルギー転換」を実現することによって、東アジア諸国の真の民主化と平和構築に道が拓かれるのではないかと思っています。

かつて、とことんまで戦争をしあったドイツとフランスをはじめとするヨーロッパ諸国が、第二次大戦後、「不戦共同体」を創出すべくヨーロッパ共同体（ＥＵ）をつくりあげましたが、このＥＵの前身が、実はヨーロッパ石炭鉄鋼共同体（ＥＣＳＣ）というエネルギー共同体であったことを思い起こします。戦争とエネルギーは密接に関連しています。尖閣諸島や南沙諸島などの東アジアの領土問題も、その背景には海底に眠る地下資源の問題があります。ウクライナ戦争やパレスチナ戦争もまた、その背後にエネルギーをめぐる国際的な利権争いが透けて見えます。またそもそも、かつて日本がアジア太平洋戦争に無謀に突進したのも、その背後に「油断大敵」、すなわち石油資源の問題がありました。戦争の陰にエネルギー資源問題ありです。その意味で、自然エネルギーは「平和のエネルギー」であるということもできるでしょう。なんといっても、他国にわざわざ奪いに行く必要がないですから。

幸い、すでに韓国や台湾では、市民主導の「エネルギー転換」の実践が蓄積されており、相互に経験をやりとりするようになっています。先日私も、台湾の中国文化大學に招かれ、オンラインで基調講演を行いました。原子力発電への逆行（バックラッシュ）は、どの国にもみられる現象ですが、歴史の大きな趨勢《すうせい》を見れば、それはまるで原子力業界の「断末魔」のようです。新しい平和とエネルギーの歴史の扉を、ぜひアジアの友人たちと一緒に開けていきたいと思っています。

第4章
「文明転換」への思考

「ウィズ・コロナ」と「ポスト・コロナ」の希望について

いま、コロナウイルスによって肺炎が重症化し、生死の境をさまよっている人。仕事の停止を余儀なくされ、今日明日の生活にも困っている人。そういう人たちに、できるだけ早く有効な助けの手を差し伸べなければなりません。しかも、今回のウイルス被害はすぐには収まらず、1年、2年と長期にわたってこれと対峙する覚悟が必要かもしれません。「ウィズ・コロナ」、つまり、まずは私たちがコロナウイルスと「共に」生きなければならない現実があります。いままさに溺れている人、またその溺れている人を必死に助けようとしている人には、無事に陸に上がった後の時間をゆっくり考える余裕はないでしょう。私たちは、まず〝サバイブ〟しなければなりません。

他方で、このウイルスの惨禍はいつか、かならず終わりを迎えます。「コロナ後（ポスト・コロナ）」はかならず訪れます。しかし、「ポスト・コロナ」の世界は、それ以前とはまるで違う世界になっているかもしれません。それが恐ろしい非人間的な世界になっているか、それとも、いまよりも平和で人間的な世界になっているかは、まさにいまの私たちの選択にかかっています。ただ放っておくなら、きっとろくな未来は待っていません。つまり私たちはいま、「ウィズ・コロナ」

の中で生き延び、そして同時に「ポスト・コロナ」の準備をする必要があります。難しい使命ですが、どちらかだけでは不十分です。そしていずれの使命も、他者との連帯や協力が不可欠になります。それゆえ〝孤立〟と〝分断〟こそが、いまの私たちの最大の敵だということになります。

持てる者と持たざる者、運の良い者と悪い者、溺れる者とそうでない者など、あらゆる格差や境界を乗り越える人間の連帯が試されています。〝孤立〟や〝分断〟の対義語は〈他者と共に見る希望〉にほかなりません。〝希望〟がなければ、「ウィズ・コロナ」の世界を生き延びる力もおのずと弱まってしまうでしょう。

「おらって」は、いわば〈３・11後の希望〉を見据えてできた団体です。しかし〈３・11〉から10年も経たないうちに、私たちは新型コロナという人類史的な経験を余儀なくされました。そして、それによって私たちの活動も、いまはほぼ停止状態になっています。けれどもよく考えれば、〈３・11〉も新型コロナも、いずれも人間社会、とくに近代文明の暴走が生み出した結末であることに気がつきます。どちらの危機も同じ文脈上にあります。つまり、私たち「おらって」の当初からの使命もまた、〈コロナ後の希望〉を展望するという現在の使命と、しっかりとつながっていると言えます。

はたして私たちは、来るべき社会の〝希望〟を見出すことができるでしょうか。今後もこれまでと同様、この問いへの答えを探してみなさんと一緒に悪戦苦闘したいと思っています。

ウイルスの覚醒

いつまで続くのか。気が滅入りますね。一日も早く、気兼ねなく飲み会がしたいですね。白根の大凧合戦も、先の戦争以来初の中止決定がなされたとのこと。世界中を巻き込んだ今回の疫病はもう戦争並みです。前回の同規模の「スペイン風邪」（インフルエンザのパンデミック）は約3年続いたといいますから（死者は約5000万人）、今回もそれくらいは覚悟する必要があるかもしれません。

もう、こうなったら腹を据えて考えてみましょう。そうすると、疫病とたたかってきた人類史が浮かび上がってきます。「いまだけ、カネだけ、自分（たち）だけ」の忙しいグローバル資本主義の世界が、ウイルスの力で一時的に停止させられているようです。そうなって初めて、人間の〈生〉にとってほんとうに必要なものが何であるのか、私たちは落ち着いて考えはじめるのかもしれません。グローバリズムが止まって、私たちは〈歴史〉に覚醒する機会を得たことになります。

私は、福島第一原発事故と今回のウイルス惨禍は似ているところも多いと感じています。目に見えないリスクや脅威と直面し、かつて祖先たちは宗教や科学、新しい芸術を生み出しました。現代の私たちは、同時代の災禍から何を生み出すことができるでしょうか。私もまた、数々の苦難と格闘してきた無数の先人たちの列に加わりたいと思っています。

新型ウイルスが破壊するもの

言いかたは不謹慎ですが、「予想通り」コロナウイルスの猛威は収まりません。「メキシコ国境に巨大な壁を建設する」と吹聴して大統領になったトランプさんも、「移民はウイルスだ」と吹聴して支持を伸ばしたヨーロッパの極右政党も、ほんもののウイルスの前には無力であるようです。あらゆる境界を超えて、世界中を瞬時に駆けめぐるウイルスの前では、いままで私たちが知っていた「グローバル化」なんて、ほんとうはいくつもの境界に隔てられ、一部少数の勝ち組だけがうまい汁を吸うしくみにすぎなかったという事実も、まさに暴露されているようです。ウイルスは国籍も、人種も、階級も、性別も、宗教も選びません。ほんとうに「グローバル」な存在です。その真に「グローバル」な生命体（？）によって、グローバル資本主義ですら一時停止を余儀なくされているというわけです。

他方でウイルスは、人と人が「集う」こと、すなわち市民社会の形成をも破壊します。おらって協議会の運営委員会も、最近はウェブ上で行われています。私が勤務する大学でも「全面遠隔授業」となりました。教員たちも慣れない環境で、それでもなんとか良い授業をやろうと日々四苦八苦しています。一般の企業や官庁でも（実際はまだ一部ですが）「テレワーク」ということばがずいぶんと浸透するようになりました。けれども、「遠隔」というのは実際、〈人間〉の本性とは真逆の論理にほかなりません。それは、〈人間〉は本来「集う」ことによって〈人間〉たりうるからです。実際に会って話しあうこと抜きに、合意形成も教育も、きわめて困難です。資本主義のみならず、市民社会や民主主義をも破壊する新型コロナの経験を経て、私たちはどんな「ポスト・コロナ」の社会を築くことができるでしょうか。いま、それが問われていると思います。

皮膚と社会

さわやかな空気に満たされる、一年でもっとも快適な新潟の5月が終わると、すぐに暑い夏がやってきます。大学の授業や会議でも、最近ネットを通じた仕事ばかりをしていると、自分の内側が「何かが足りない！」と叫び声をあげるようで、天気のいい日は部屋を飛び出して遠くまで散歩に出かけたりします。それにしても、いったい何が足りないと感じるのか……。

最近、テレビの教養番組で、皮膚が五感を備えているのではないか、という科学的な研究成果が紹介されていました。皮膚の表面にある細胞が、触覚だけでなく視覚も聴覚も嗅覚も、そして味覚すら備えているのではないか、というので驚きです。約１２０万年前に、人間の祖先たちが身体を保護する体毛を減らし、体じゅうをいわば剝き出しの認知器官として、外界の危険を察知する戦略をとるようになった。そして、ちょうどそのころから人間の脳もどんどん大きくなっていったというのです。仮説だとしても説得力があります。

もしそうだとすれば、よく言われる「第六感」の正体もわかる気がしますし、なぜ自分が視覚と聴覚だけに頼るコミュニケーションではどうにも満足できないのか、わかるような気がします。教育も市民活動も、人と人とが会って、すべての感覚を媒介にコミュニケートする（コミュニティをつくる）ことから生まれます。その意味では、いま喧伝されている「ソーシャル・ディスタンス」は、結果的には「ソーシャル・デストラクション（社会の破壊）」をもたらすのかもしれません。

けれども最近、新型コロナの経験を踏まえて、イギリスのボリス・ジョンソン首相が「There really is such a thing as society（社会というものは現実に存在する）」と発言したことが話題になっています。これは、かつて同国首相であった新自由主義の権化、マーガレット・サッチャーが「社会などというものは存在しない」と語ったことへの反論になっています。皮膚を媒介して体内に入り込むウイルスの脅威は、逆に生物としての人間の本質を思い出させ、かつての祖先がそうであったように、お互いの相互扶助や協力関係、すなわち〈社会〉の重要性を浮かび上がらせました。

かつてのように、みなさんとお会いして、ひざ詰めでじっくりと語りあう……。いまは、そういう日が一日も早く来ることを願っています。

「正気」であるために

街に出てみると、立ち並ぶお店が次々と再開し、パンデミックの恐怖もしだいに和らいでいるようです。一日も早く、かつてのような経済生活を取り戻したいという熱気が伝わってきます。

そこで私が思い出すのは、イタリアの作家パオロ・ジョルダーノさんが『コロナの時代の僕ら』（早川書房）で書いた次のことばです。

「すべてが終わった時、本当に僕たちは以前とまったく同じ世界を再現したいのだろうか」（109頁）

この問いかけはとても重たいと思います。自分自身を振り返っても、パンデミック前の、手帳に書き込まれた予定をただひたすらこなすような「多忙な」日々を、もはや単純によかったと思えなくなっています。この間の蟄居《ちっきょ》生活は、自分が来た道を振り返る貴重な時間でもありました。パンデミックは多くの命や生活を奪いました。もう二度と起こってほしくないと思います。けれども他方で、私たち人類に「生」の根源を見つめさせ、これまでの生き方についての反省をうながしました。「正気」でいるためには、もしかすると、病気や死というものの真実をしっかりと見据えることが大切なのかもしれません。

「自分はさほど遠からず確実に死ぬ」

「健康であることは、この身体と世界がみごとな均衡を保っているという奇跡にほかならない」

この単純な生命の真実に基づいて、自分の生活や私たちの社会をふたたびつくり変えることが「コロナ後」の課題です。

「法の上の法」

アメリカを代表する思想家、ヘンリー・D・ソローはご存じでしょうか。あのマハトマ・ガンディーやキング牧師にも影響を与えたというので、若いころチラチラと彼の著作を読みましたが、お恥ずかしい話、あまりほんとうの価値がわからないまま今日を迎えてしまいました。けれども最近、とくに新型コロナウイルス禍の中で、彼の『ウォールデン――森の生活』（1854年）を再読し、その思想の重みが身に染みて迫ってくるようになりました。

この『ウォールデン』の中で、「法の上の法（high law）」という話が出てきます。世俗の人為的な法ではなく、それより上位の、野生的本能や「内なる声」につらなる「法」を意味します。人間もまた野生（動物）の一部。まずは、その動物としての人間から世界を理解し、これを再構成しなければならないとソローは考えます。

「私たちは、猟師のように実際的、かつ本能的に知ったことを、科学の言葉を上手に使って自分で理解する時に、心の底から歓びを感じます」（今泉吉晴訳、小学館文庫版、下巻108頁）

このソローのことばは、とても深いと思います。つまり彼によれば、「真に人間的な知識」とは、この本能（内なる自然）と科学とが融合した知識だということです。もちろん、ここで「科学」というのは、私たちが考えるような「テクノロジー（技術）」ではなく、生きる姿勢や思考の方法としての「科学」にほかなりません。

ソローは、納得できない税金を支払わず逮捕されたことで有名ですが、私たちが当たり前だと思っている人間界の「常識」は、ほんとうに宇宙の法則の正義に適ったものなのか、自分の感覚と経験によって一から考え直してみることは、いま私たちが生きる時代にもっとも必要なことなのかもしれません。

新潟の冬の鳥たち――白鳥・朱鷺・鶴

新潟もこの季節、大空を白鳥が群れをなして飛んでいく風景をよく見かけます。まるで太古の翼竜プテラノドンが空を回遊しているようで、初めて新潟に来たときにほんとうにびっくりしたことを、いまでも忘れられません。彼らはこの季節、寒くなるロシアから飛んできます。

また、新潟の鳥として、朱鷺がいますね。雪に映える朱鷺の羽色の美しさは、新潟人のみならず県外の多くの人々も魅了しているようです。この朱鷺（学名ニッポニア・ニッポン）は一時絶滅の危機にあったのですが、それを救ったのが中国の友人たちであったことは誰もが知っています。朱鷺は日中友好や日中協力の象徴でもあり、開発や近代文明で失われたすべての命の〝再生〟の象徴であるともいえます。

次に新潟の鳥で思い出すのは鶴です。最近、新潟にはあまり多く飛来しないようですが、鶴の友、金鶴、鶴齢、〆張鶴《しめはりつる》など、新潟の日本酒の銘柄にも鶴がたくさん出てきます。鶴といえば『鶴の恩返し』という昔話を思い出しますね。木下順二の『夕鶴』が有名ですが、もともとは柳田國男の『佐渡昔話集』にあった「鶴女房」という民話だったということなので、これもいわば「新潟産」のお話なのです。美しく神秘的、そして切ない話で、私も小さいころから大好きでしたが、新潟に住んで研究や思索を深めるうちに、その内包する深淵なメッセージにますます惹き込まれています。

新潟の冬の鳥たちは、国境や時代を超えて、時おり何か大切なことを私たちに教えに、空からやってくる使者にも思えます。天から降ってくる新潟の大切な恵み、宝物のひとつです。

「土」について

「『おらって』は今年、土まみれになります！」と宣言しながらずいぶん時間が経ち、先日ようやく「おらって農園」をつくろう、ということが決まったばかりです。しかし、どうやって農園をつくるのか、そもそも代表の私がいちばん土から遠い人生を送ってきて、徒手空拳の状態です。けれども、エネルギーと並んで、食や農は「おらって」の次のテーマ。今年は、まずは「土」という具体的な対象と直接向かいあうことから始めたいと思います。

古来「土」は、「水」や「空気」や「火」などと並んで、この世を構成している主要元素のひとつだと考えられてきましたが、「human（人間）」の語源が「humus（腐植土）」であるといわれるように、まず私たち自身が、たしかに「土から生まれて土に還る」存在であることは言うまでもありません。

またこれに関連して、土を学問的に研究する「土壌学（soil science）」の知見によれば、ひと口に「土」と言っても、それは単に岩石が細かく砕かれた砂や粘土からなる物質というだけではなく、植物をはじめとするさまざまな生物の動的な働きを加味して初めて「土」になるのだということです。したがって「土」とは、地球全体の自然環境と生物活動とが、きわめて長い時間をかけて相互作用してできた創造物であることになります。その意味で「土」は生きている。

以前訪れたキューバでは、化学肥料や農薬を使わない有機農業を実現するために、ミミズが大活躍していました。かつてアリストテレスが、ミミズのことを「大地の腸」と呼んだのは有名な話ですが、彼らは土と有機物を大量に食べ、移動しながら糞にすることで、有機物を分解し土壌を撹拌《かくはん》します。また死んでも、その死骸の豊かな窒素成分が植物の養分となります。もはやミミズと「土」との区別はあいまいになるほどです。

「土」をめぐる複雑な生命の相互作用について、もちろんまだすべてがわかっているわけではありません。しかし「土」が、ミミズをはじめとする無数の生命体が織り成す、まるで交響楽のようなものであるということ、そして「農」とは、どうやらその交響楽を正しく聴く技術でもあるということは、わかってきたように思えます。

埋葬について

先日、85歳になる父親から「墓じまい」をしたいという相談を受けました。父は、祖父が亡くなったときに、当時の父の収入としては十分に立派なお墓を建てました。父も自分で造ったそこに入るのが順当だろうと思っていたのでしょうが、お墓の維持にはまずお金がかかるし、管理にも手間がかかるので、子どもたちに遺したくはないというのです。父親らしい提案です。

しかし、私にとっては苦手な話題でした。何より、死者の扱いについて、お葬式から火葬、お墓に入れるところまで、いまこの国で行われている〝フツー〟の埋葬のプロセスに、いつも戸惑いながら、ついていけていない自分がいたからです。お葬式はほんとうに苦手です。

生涯で大切な友人が亡くなったときも、むしろそういうときにはなおさら、葬儀には出たくなくて、実際、出ていません。よく考えると、自分の中で彼らの魂を埋葬できずに、ずっと生きているときと同じようにかかえつづけているという状態が続いています。もっと正直に言えば、一連の埋葬のプロセスがどれもインチキに見えてしまって、死者の扱いとして「ほんとうにそれでいいのか?」と、ずっと違和感をかかえてきました。

文明は、人類が死者を埋葬するようになって始まったといわれます。死者の魂をどのように扱うのか、それは私にとっても、いまだ解答のない最重要の課題です。大げさにいえば、学問も芸術も、すべて死者のためのセレモニーをどのように司るのかをめぐる活動である、と言い換えることができるかもしれません。現代に生きる私たちは、死者をどのように埋葬するのが善いのでしょうか?

いまのところ良い考えが浮かばないのですが、やはり「魂（スピリット）」ということばが鍵になると思っています。だいたい3世代で忘れ去られる、唯一無二の「魂」はどのように生きつづけられるのか。そもそも、石や歴史に名前を刻むとか、世俗的なかたちでこの現世に残すことにどんな意味があるのか。「魂」とは何か……。問いが次々と浮かんできます。しかし、自分に置き換えてみれば、自分の「魂」は、まずは世俗の苦悩から解き放たれて、永遠に天空で歌い、時に生者を祝福し、支えつづける存在である、というのが理想かなとも思います。

父はどう考えるでしょうか。次に会ったときには、この「魂」の話をしたいと思っています。

海岸清掃の効用

「おらって」に来ている大学生インターンの企画で、「おらって」メンバーと一緒に海岸清掃に出かけました。長岡市の山田海岸です。幸い天気にも恵まれ、新潟のさわやかで美しい秋も堪能できました。けれども、実際にゴミを拾ってみて、いろいろと考えさせられました。

まず、ゴミの多くはプラスチック製でした。プラスチックは人間が地中から石油を掘り出し、それを加工したものですが、それが地球全体を汚しているのがよくわかりました。

ハングルの書いてある歯磨き粉のチューブは、きっと対岸から遠く海を渡ってやってきたのでしょう。見慣れない、おそらくとても高価な健康飲料のカップは、きっと自分の健康に細心の注意を払う人が捨てたのでしょう。「自分の体を常にきれいにしておこうとする人でも、地球全体の環境には鈍感なのかな」などと考えながら拾いました。

浜辺を覆うプラスチックのゴミがあまりに多いので、何万年かの後、この時代の地層にはかならず人間の石油文明の痕跡があらわれるのだろう、と確信しました。最近よく言われる「人新世」という、私にとってはまだあいまいだった概念が〝実感〟として理解できました。

石油をいったん地中から取り出し、化学反応によってもう自然には戻らないものに変えてしまったプラスチックのゴミの山は、私たちの「文明」そのものの姿です。それがなんとか自然に還ろうと、たとえ細かく、細かく砕けても、海の中の多くの生き物たちの身体にそれが蓄積され、あるいは大気中に拡散し、やがて生物としての私たち人間の肉体にも還ってきます。

清掃の後、参加者と一緒にワークショップも行ったのですが、この「海岸清掃→ワークショップ（振り返り）」という活動は、とても重要で効果的な環境教育の手法であると、あらためて思いました。

緒方正人さん

先日、熊本に出張してきました。熊本に市民ソーラー発電所を建設し、その収益で立ち上げた「水俣・熊本みらい基金」の会合に出るためです。ただ、出張の個人的な目的としては、緒方正人さんに再会するということもありました。緒方さんは水俣病事件の被害者で、『チッソは私であった——水俣病の思想』（河出文庫）などの著作で有名な漁師であり思想家です。

座席の隣どうしとなって、少し会話を交わしただけですが、いつもの通り、ひとつひとつのことばが生き生きと、私の乾いた脳細胞に沁《し》み入るようでした。前回お会いしたときと同様、予想以上にお元気そうでしたが、やはり水俣病の後遺症で、遠出をしたりすることはかなわないようでした。新潟にもご招待したいのですが、やはり熊本に出向くしかありません。その意味では今回も貴重な機会でした。

昨今の世界情勢について、いつものように感想を交換するなかで、緒方さんはふと、「いま、世界中の人々が夢遊病者のようになっている」とおっしゃいました。「夢遊病者」。バーチャルなリアリティの中で、生命の根拠から切り離されて浮遊している私たち。緒方さんのことばを借りれば「超近代システム社会」の中で、私たちはなんとか溺れないように夢中にもがいて、あたふたしているだけなのかもしれません。しかしそんな社会はやがて崩壊する。緒方さんはたしかに「早晩、崩壊する」とおっしゃっていました。

「崩壊」の後に何が来るか。そんなことを話していて、先の戦争の話になりました。私が、12年前の福島原発事故もまた「敗戦」であったという話をすると、緒方さんは「原発避難者」ということばについてのお考えを話してくださいました。

「あれは〝避難〟ではなく〝疎開〟なのではないのか。なぜ〝疎開〟と言わないのか。本質を隠そうとしているのではないか」

福島原発事故は一種の「戦争」だったのだと思います。私は原発事故時の避難計画を検証する新潟県の委員でもありましたが、よく考えれば、原発事故も、そこからの避難の計画も、すべて「国策」をめぐる問題なのです。「避難計画」ではなく「疎開計画」と言うべきだったかもしれないと思いました。政府の政策でどんなにひどいことが起こっても、誰も責任を取らないこの無責任大国で、いまでも毎日のように、国民の生命や生活全体を巻き込む政策が決められています。私たちはいつまで「自主避難者」として、「自己責任」論のもとに行動を強いられつづけるのでしょうか。

今回も幸せな時間でした。緒方さんに再会のよろこびをお伝えし、またいつものように、次にお目にかかれる機会に恵まれることを願いながら、お別れをしてきました。

「文明論的」な転換

国連環境計画（ＵＮＥＰ）は先日（２０２１年10月26日）、かなりショックな報告を発表しました。いま世界各国が目標にしている温室効果ガスの削減をたとえ達成したとしても、今世紀末には世界の平均気温が産業革命前から２・７度上がってしまうというのです。２０１５年のパリ協定では１・５度未満にすることが目標だったので、このままではまるで達成できないことになります。

私たちの子どもや孫の世代には、私たちの地球は何十年に一度の熱波や干ばつ、豪雨などで覆われるかもしれません。

パリ協定の目標そのものが、元から無理な相談だったのかどうかはさておき、この問題が何を意味しているかというと、どうやら現在の「国際」社会の枠組みだけでは気候危機は乗り越えられないかもしれない、ということです。各国政府は、みずからの「国益」を計算する範囲内でしか、けっして「妥協」しません。SDGsやカーボンニュートラル（脱炭素）といっても、みずからの社会システムの抜本的な変革までは手を付けられないというのが「現実」なのかもしれません。

この大きな人類的危機は、一部の専門家や政策決定者たちに任せておいただけでは克服できないでしょう。生きかたやライフスタイル、経済構造や世界観の変革も含めた「文明」そのもののありかたを大転換する、下からの市民的運動が不可欠です。私はそれを「文明論的な転換」と呼びたいと思います。

映画『ＭＩＮＡＭＡＴＡ』（アンドリュー・レヴィタス監督、２０２０年）をご覧になったでしょうか。制作を担当した主演のジョニー・デップがこだわったとされる最後のエンドロールで、ミナマタの悲劇は、ベトナム戦争での枯葉剤の被害や、インドのボパール化学工場事故、そしてフクシマの原発事故に至るまで、「世界中の数え切れない産業公害」と連結されます。私たちは、自分たちの「文明」がつくりだした破壊や暴力のすべてを、ふたたびつなげ直して新しい社会像を描かなければならなくなっています。このまさに「文明論的」な視点と、それに気がついた民衆が、既存のあらゆるしがらみを突破して世界をつくり直さない限り、現在の人類的危機は克服できないように思います。

自分の命をささえるもの

私は生まれたとき、少々体が小さすぎたので、しばらくは保育器の中で過ごしたそうです。また１歳から重い小児喘息にかかり、とくに子どものころは、私の面倒をみる母親が「寝間着を着て寝たことがない」というほど病気がちで、両親に苦労をかけました。小さいころから何度も入院し、注射や点滴も数えきれないほどたくさん打った記憶があります。

私は大人になって勉強をするうちに、人類はそろそろ歴史的に近代文明そのものを根底から問い直す必要があると思うようになり、これまでも、そういうことを言ったり書いたりしてきました。けれども、近代の医療や科学技術の発展、あるいは日本の近代化や経済成長がなければ、そもそも今日の自分が存在しているのか、と自問せざるをえません。

自分の人生や生命の全体をささえているものをあらためて点検してみると、想像以上に複雑に絡みあい、分業化され、システム化された「近代文明」の姿が浮かび上がります。私は裕福でもない家庭に生まれながらも、なぜ十分な学びの機会が与えられたのか、またそもそもなぜ深刻な飢えに一度も直面することもなく、安定的なエネルギーを十二分に消費しながら、暖かい光の中で毎日を生きてこられたのか。すべては先人たちのおかげです。

ただ、そのありがたい「文明」の中で、自分の命が高度に構築された巨大システムの一部のようになってしまっていて、自分の着るもの、食べるもの、そしてエネルギーも、実際は自分ひとりでは何もつくりだせないという現実に戦慄することがあります。私たちの命が、もし巨大システムの円滑な稼動に依存しているとするなら、そのシステムがある日突然ダウンしてしまえば、それは即座に自分の命の危機に直結することになるからです。私にとってそれは、ある日突如起こってしまう核戦争や原発事故のイメージと直接つながっています。

いま私がもっとも気になっているのは、現代人の社会や政治に対する「無力感」です。この「無力感」はきっと、自分の命の存立基盤を過剰にシステムに依存させていることに起因しているのでしょう。根源的な「無力感」をかかえながら、またそれゆえに、システムの危機と自分の命の危機とを直観的に同一視する人間が、既存システムの温存をひたすら願うという意味での「保守」へと傾斜するという論理は、考えればよくわかります。

その意味で、私たち「おらって」の試みは、〝命の基本に立ちかえって、それをささえる食・エネルギー・教育・ケア・安全などをもう一度自分たちの力でつくってみせる、そして、それによって私たちが囚われがちな根源的な「無力感」を少しでも克服し、やがては社会や政治すらも自分たちの力でつくりだすことができるのだ、という自信を取り戻すプロジェクト〟なのだと言えるのかもしれません。

街角の盗電師

ドキュメンタリー映画『街角の盗電師（Powerless）』（D・カッカー＆F・ムスタファ監督、２０１３年インド）を観ました。素晴らしかったのでご紹介します。冒頭、「世界ではいまだ15億人が電気のない生活を強いられている。そして、そのうちの４億人がインドにいる」というナレーションから始まります。かつて「東のリバプール」と呼ばれた３００万都市カーンプルが舞台ですが、いまでは産業もさびれ、街は貧困の景色で溢れています。そしてタイトルにもあるように、そこに住む貧しい人々は、電線から独自の方法で電気を盗みます。その草の根のスキルを活かして人々に感謝されているのが「盗電師」たちです。彼らの活躍もあり、貧困街の大多数がお金を払わずに電気を使うことができます。

しかし電力会社にとっては盗電は「損失」であるし、明らかな「犯罪」でもあるので、上品な英語を話す、中央から来た辣腕《らつわん》経営者がそれをあの手この手で取り締まろうとします。当たり前ですね。けれども、この映画がおもしろいのはそこからです。住民たちはそれに負けじと会社と対峙します。彼らは「一日に二食もとれていないのに、電気代なんて払えるわけがない！」と主張するのです。「盗人《ぬすっと》猛々しい」とはいえ、その主張にも説得力があります。街頭に繰り出し、会社に押しかけた彼らが訴える「われわれに電力と水を！」という要求は、人間にとって最低限の要求だといえるかもしれません。またその要求からは、電気や水などの生活の基本財は、実はすべての人間に〝保障〟されるべきではないのか、そもそもそれを私有財産として商売にしてはいけないのではないのか、という根源的な問いも浮かび上がってきます。

暑季を迎えて、需要が増えると街のあちこちで燃えだす変圧器、それを当たり前のように水をかけて素早く消す住民、そして当たり前のように毎日くりかえされる停電。そんな喧騒の中で、人々が剥き出しでたくましく生きている現実を観ているうちに、電気が当たり前にやってくる生活を営む自分たちが、むしろ大切な何かを失っているのではないかと不思議な危機感すら覚えるようになります。

電気がない、Power-less（パワーレス）な人々は、むしろそれゆえ、電力を自分たちのものにすべくPower-ful（パワフル）にたたかう。この作品には、〈民主主義は電力の自治から生まれる〉という、「おらって」の掲げるテーマと底通する主題が豊かに描かれています。

コモン（共）について

ずいぶん前から、学問の世界でも、分野をまたいで「コモン（共）」という価値が見直されています。「コモン（共）」とは、簡単に言えば「みんなのもの」という意味です。昔はこの「みんなのもの」で溢れていました。山も海も川も、そしてきっと子どもたちも、いまとは違ってもっと「みんなのもの」だったと思います。

けれどもいまは、この「コモン」のスペースは極度に狭まっています。それは資本主義のせいだと言えます。いま私たちが当たり前だと思っている資本主義は、あるとき、ある人が、この「みんなのもの」の一部を「これは私のもの（私有財産）だ！」と言いだしたことから始まりました。それで気がつけば、いまでは土地や森だけでなく、水や作物の種までもが私有財産になってしまいました。最近では、時間＝歴史までも私有物にしようとする人が増える始末です。

近年、これを見直す新しい方向性が、経済学や経営学でも、たとえば「オープンソース」や「シェアリングエコノミー」などの横文字で議論されるようになりました。私が専門にする政治学でも「ミュニシパリズム（地域主権主義）」や「自治」の概念が再評価されています。これまでの「官―民」「公―私」という社会空間の軸の中で、民主主義を支える「公」の重要性が強調されてきましたが、その「公（政治的公共性）」の中に、これまで主に民族学者たちが取り扱ってきた「共」の要素をどのように復活させることができるのか、多くのすぐれた研究者たちは考えるようになっています。

大昔の先人たちが大切にしてきた「共」とは、生活や生命、共通のアイデンティティにつながる概念です。考えてみれば、地球そのものが「みんなのもの」ですね。「おらって」は、この「コモン」に基づく社会をつくる実験に取り組んでいます。活動は苦難の連続ですが、全力で取り組むやりがいがあります。

ブルシット・ジョブ（クソどうでもいい仕事）

最近、私が敬愛する人類学者、デヴィッド・グレーバーさんの『ブルシット・ジョブ』（岩波書店）という本が話題になっています。このタイトルは、日本語だと「クソどうでもいい仕事」

と訳されています。かなり刺激的なタイトルですが、案外多くの人が、いま自分のやっている仕事に意味を見出せず、人のためにもならず、あるいは有害でさえあり、たとえ無くなったとしても社会にとっては差し支えないと思っているという「事実」を明らかにしています。

この「事実」を訴えた人々の仕事の例としては、お飾りの受付嬢、高級マンションの門番、ウェブ広告業者、企業の顧問弁護士などが挙げられています。これらは、低収入の３Ｋ（きつい・汚い・危険）仕事というわけではかならずしもありません。むしろ、どちらかといえば「ホワイトカラー」や「マネジメント（管理）」に属する仕事です。しかし、この「クソどうでもいい仕事」では、労働者は雇用されつづけるために、逆に自分の仕事が存在するもっともらしい理由があるふりを日々しなければならなくなり、自己欺瞞におちいります。

反対に、真に他者の助けとなり、社会に貢献する価値が高い仕事ほど、現実には報酬がより少なくなる傾向があるということもグレーバーは指摘しています。この指摘もまた思い当たる事例が多く浮かびます。この本は、誰もが薄々気がついていたものの言い出せなかった真実、つまり、現代における仕事や労働のありかたがずいぶんといびつになり、誰にとってもきわめて非人間的になっている事実を赤裸々に描き出しています。

私は昭和41年生まれなので、小さいころから仕事とは「メシを食うため」のものであり、とにかくお金を稼いで自立した生活を営むことがいちばん大切だと教えられてきた記憶があります。

いまでは間違った使いかたであることがわかるのですが、「職業に貴賤なし」ということばもたくさん聞きました。つまり、どんな仕事でも家族を養うためにする仕事は尊いのだと、なんとなく教えられてきた気がします。しかし最近は、とくに若い世代の人たちから、「食うため」を言い訳に、自分の精神が病んでしまうような仕事を続ける意味はどこにあるのか、といった根本的な疑問が投げかけられることが多くなりました。おそらく世界全体で、人間が人間的に働くスペースが極端に狭まっているのでしょう。その意味で、最近はすべての仕事が「ブルシット化」してしまっていると言えるのかもしれません。

ただ、希望もあります。労働のありかたという、この人間にとってもっとも基本的な問題について、多くの人々が考えはじめ、声を上げつつあるということ。これは今後、社会が大きく変わっていく前触れであるという気がします。

「Are you human ?」

最近ネット上で、サイトへの不正なアクセスやロボットの侵入を防ぐために「Are you human?（あなたは人間ですか?）」と訊かれることが多くなりました。今後ＡＩ（人工知能）がどんどん社会を支えるようになると、この質問をもっと多く受けるようになるかもしれません。街の風景写真が複数出てきて「どれが信号機ですか？」などと訊かれたりするのですが、それはまだＡＩが、人間がふつうに行っているような精緻な認識が苦手だからでしょう。

しかし、車の自動運転などが実際に実現するようになっているので、多くの風景写真から信号機を見つけるなどということも、ＡＩにとって朝飯前になるのも時間の問題でしょう。そうなると「人間であること」の証明はどうなるのかと、ふと考えたりします。そもそも、信号機が映っている写真を見分けられることが「人間」の証明であるというのも、なんだか情けない気もしてきます。

私にとって、「あなたは人間ですか？」と、そもそも人間ではないＡＩ（プログラム）に訊かれる経験は、なんというか、革命的な衝撃であり、すんなりと飲み込むのが難しいできごとです。

近年、学問の世界でも「ポスト・ヒューマン（人間後）」の世界が議論されたりしますが、「ポスト（〜後）」を議論する前に、「人間とは何か」をしっかりと見定める必要があると思っています。

「ニーズ」について

この前テレビを観ていたら、人間の欲望に関する研究論文が世界中で急増しているということでした。人間の欲望は、ふつうに考えても多元的ですが、医学的には脳の神経伝達物質であるドーパミンに着目する研究も多いようです。ドーパミンは幸福感や、やる気、ポジティブな感情にかかわる物質とされているようですが、そうであれば、私にはこれがふつうの人より若干多いのかなという気はします（笑）。

他の動物は、この物質が中脳でつくられるだけなのですが、人間は大脳新皮質でもつくられることが発見されたそうで、それは人間が、単なる基本的な生物的欲求を満たすときのみならず、課題を解決したり、思想を構築したりする際にも快感を得られることを意味します。人間の欲望には際限がないというのも、これでいくぶん理解ができそうです。

番組の中である研究者が言っていましたが、人間にとってこの事実は「祝福でもあり呪いでもある」。人間はこの「課題解決欲」によって「文明」を発展させてきました。けれども、たとえばイデオロギーの対立で大量殺戮を行ったり、無限の富や快楽の追求で身を滅ぼしたりもします。

ホモ・サピエンスの「サピエンス」は「賢い」「智慧がある」という意味ですが、それはほんとうなのかと思うことも多くあります。

昨今言われる「いまだけ、カネだけ、自分だけ」の時代にあっては、あたかも人々が自己利益だけを追求して汲々としているようにも見えるのですが、ここでの〝利益〟や〝欲求〟つまり「欲望の対象」をつぶさに観察すると、それはしばしば、案外とても的外れなものでしかないことがわかったりします。たとえば、お金のためにほとんどを犠牲にして生きている人がいたとして、その人のほんとうの欲望は、紙幣という物質、あるいは貯金通帳の数字などではなく、お金自体がもっている交換価値や安心感、あるいはしばしば愛情だったりします。私たちは「欲望の中身」も注意深く観察しなければなりません。

実験的に、授業で学生に「１００億円あったらどう使いますか？」と訊いてみたところ、せいぜい「車を買う」とか「旅行したい」「学費全納」などのかわいらしい返答ばかりでした。いずれも１億円以下で十分です。それで、もっと相互に議論を進めていくと「お金なんていっそ燃やしてしまおう」とか、「意義ある活動に寄付するのがいちばん」などの意見も出てくるようになりました。

私は、人間が真に欲しているものを「ニーズ」と呼んでいます。そして、この「ニーズ」を真剣に研究し追求することが、現代では最重要の課題であると思っています。資本主義によってつくりだされた「欲望」による社会ではなく、人間が真に幸福になるための「ニーズ」に基づいた社会をつくりだすこと。それは、「おらって」の「新しい社会をつくりだす」という目標の根源にある理念にほかなりません。

無用の用

「無用の用」とは老子のことばですが、私の好きなことばのひとつです。私たちは普段、役に立たないことをするのを嫌います。まず、毎日生きていくのに忙しいし、いつも時間はないし、すぐに役に立たないものには価値がないように思えます。その意味で現代では、たとえばすぐに何にでも取り替えられるお金なんかは、いちばん「役に立つ」ものだとされています。

「無用である」、すなわち「使えない」「成果が見えない」「効率が悪い」「融通がきかない」ことは、とくにビジネスや仕事の世界では、きわめてマイナスです。私が属する学問の世界ですら、日々研究者たちは、すずめの涙ほどの研究費を得るために、自分の研究がいかに国家や社会に「すぐに役立つ」のかを雄弁に語る能力を試されます。

けれども、この「役に立つ」というのはきわめてクセモノです。それは自然をじっくり観察するとわかります。実は、この地球上の人間も含んだ自然界は、いったい何が何に対してどのように「役立って」いるのか、実際はまだよくわかっていないのです。新型ウイルスの登場に依然として右往左往する人間の知識は、まだまだ限られています。

このような、いま「役に立つ」と自分が思えるものだけが価値あるものだと信じる心の習慣は、加速する資本主義が生み出したものです。ある短期的な目的を設定し、そこに向けて最短で効率よく答えを出すことばかりを訓練する学校教育や、短期的な成果ばかりを競う、やせ細った学問も資本主義の文化的な帰結です。そして、この過程で、ほんとうは視野が狭いくせに傲慢な人間ばかりが大量生産され、地球に溢れかえるようになります。

「無用の用」とは、すなわち、いま私たちが「役に立たない」と軽視しているものも、実際はもっとも貴重なものであるのかもしれない、だから自分の現在の「用／無用」という価値観をまずは疑ってみなさい、ということです。私はなんというか、この思考の構えにほんものの知性を感じます。知性を失った社会は、自分にとってのごく狭い「用／不要」の観点から、万人が万人に対して不寛容になる社会にほかなりません。まずは、このような人間的余裕を失った資本主義的文化の限界を突破しなければなりません。「おらって」がめざす「新しい社会」は、その「新しい社会」を下から支える新しい精神、新しい文化を必要としています。

惑星社会

現在の世界をどう表現するかは、現代がどんな歴史的な位置にあるのかも示します。理屈っぽくて恐縮ですが、今回は、現代が迎えている新しい歴史の段階について、私の看立てをお話しします。

私の専門は国際政治学で、大学でも同名の講義をしていますが、もっぱら「国際社会」についてその成り立ちや特徴を話します。現代の「国際社会」で活動する行為主体（アクター）はたくさんありますが、その主役はもっぱら国家や政府になります。けれども、大学院時代からずっと感じてきたことでもありますが、国家や政府、そしてそれらが構成する国際機関だけでは、現代の〝平和〟の実現はかなり難しいのではないか。いま起こっているウクライナの戦争を見るにつけ、さらにその思いは強くなります。

さらに、とくに20世紀の終わりごろから「グローバル化社会」が強く意識されるようになりましたが、これは、国家や政府を超えたグローバルな（地球規模の）経済の影響力が圧倒的に大きくなったことに起因します。最近、イギリスの女性首相が歴代最短で辞任しましたが、一国の経済政策も、世界経済という大海の水面に浮かぶ木の葉のように右往左往する時代になりました。

しかし私はさらに、21世紀の中ごろにかけて、人類の運命と、この地球という惑星の運命とが一体化する「惑星社会」の時代を迎えつつあると思っています。政府の外交が中心の「国際社会」も、多国籍企業や金融が中心の「グローバル化社会」も、これからもずっと同時進行していきますが、それに加えて「人間中心」や「国家中心」「利益中心」といった、これまでのいわば「エゴ」に基づく論理ではとうてい課題の克服ができない新たな世界、それこそが「惑星社会」です。

あらゆる境界を無効化する気候危機の問題は、その時代を告げる代表的な事例ですが、これまで私たちが当然だと信じてきたほかの「近代」の枠組みも、どんどん溶解（メルトダウン）していくでしょう。これからの10年20年、まったく新しい政治的なアプローチが必要になっています。

墨子を読む

主に卒業生を対象に、まだまだ勉強を続けたいという人のために開催されてきた通称「社会人ゼミ」。１か月に1回、もう２３０回を超えましたが、最近は『墨子《ぼくし》』を読んでいます。墨子とは、中国の戦国時代に生きていたとされる謎の人物で、孔子ほど有名ではないかもしれませんが、学校教育では「兼愛説」を唱えた人と記憶されます。名前に「墨《すみ》」という漢字があるので、肌が黒かったとか、実はインド人だったとか、いろいろな説があるようで、それ自体興味がそそられます。

なにせ紀元前400年前後の文章ですから、それを約2500年後のいま読んでいると思うだけでワクワクするのですが、読んだ印象を簡単に言えば、きわめて素朴で簡潔な論理の中に深遠な叡智がキラキラ煌《きら》めいているといった感じです。何よりも、人と人とが陰惨に殺しあう戦乱の時代に書かれた平和論だということが重要で、その意味で生半可な平和論ではありません。墨子は、昨今の風潮でもある「自分（たち）だけ」ではなく、相手を区別なく愛すること、すなわち〝兼愛〟（現代では〝博愛〟）の重要性を説きます。私が専門とする平和研究の視点で見れば、いわば「現実主義的な平和論」として現代の文脈に当てはめてみることも十分可能で、とても多くのヒントを得ることができます。

また、墨子は儒教の影響も受けていて、独特の「秩序論」もあります。ですから、政治学者にとってもかなりおもしろい読みものです。これもかなり儒教的なのかもしれませんが、何より「人」が大事。政治は人が治めるもの。治める人が賢明で、人間的にも立派でなければなりません。倫理的なリーダーだからこそ人民は従う。また従わなければならない。この古代から続く政治のイメージは、おそらく現代の中国でも立派に働いていて、もし一国のリーダーに汚職や腐敗があるのであれば、統治の正統性を一挙に失うことになります。習近平さんが汚職撲滅によって権力を掌握したというのは、この意味で理に適っています。

しかし、あらためて再認識するのは「天」の概念です。皇帝や天子であっても、「天」の意思に背けば存在理由は失われます。墨子を読んでいると、あたかもトップダウンでごく封建的な政治イメージに見えるのですが、「天」の概念が出てくると一挙にそれがひっくり返ります。「天」とは何か。これをちゃんと理解するにはたくさんの勉強が必要です。ただ、日本の政治には同様の核心的な概念があるのかどうか、とても疑わしく思います。「天」は「自然」も含むので、いま風に言えば地球環境なども含んでいると考えれば、深刻な気候危機もまた、現在の政治的指導者たちの正統性を根底から揺るがすものとして位置づけられるでしょう。文明的に行き詰まった現代に佇む私たちは、古代の智慧から学ぶことがまだまだ多そうです。

人類最後の希望

今日は、久しぶりに春を思わせる陽が窓から差し込んでいて、新潟の長い冬ももう終わりかと、まるで自分が冬眠から覚めた小さなカエルになったかのような気分です。

プーチンのロシアがウクライナに軍事侵攻したことで、世界中が驚き、悲しみと怒りの声を上げています。世界を襲う気候危機や疫病、そして侵略戦争までもが勃発し、不安と不信の暗雲がこの惑星を覆っているようです。19世紀、あるいは中世へと逆戻りしたかのよう。しかし、その暗雲の中に、小さな希望の光も見出すことができます。

何よりも、戦争に反対する声が世界中で上がっています。ベルリンの10万人をはじめ、世界の主要都市で、ロシア政府への抗議活動が起こりました。当のロシアでも、モスクワやサンクトペテルブルクなど全土の都市で抗議デモがあり、千人単位の逮捕者が出たといいます。昨年ノーベル平和賞を受賞した『ノーバヤ・ガゼータ』のムラトフ編集長も「ロシア人の反戦運動だけが、この惑星上の命を守ることができる」と言ったように、このロシア国内からの「声」はプーチン政権の基盤を揺るがすという意味でとりわけ重要です。私が所属する日本平和学会でも、戦争に反対するロシア市民と連帯するために、学会の抗議声明をロシア語に翻訳して発信しました。

20年前にアメリカが起こしたイラク戦争のときもそうでしたが、どんな理由があろうと、どんなに時代が荒もうと、理不尽な暴力や野蛮を許さないという最低限の「文明」を守ろうとする市民たちが、国境を越えて連帯する。そのことに人類の最後の希望を見出すことができます。まだまだガラス細工のようですが、地球レベルの「コモン・センス」が少しずつ成長しています。

「平和の物語」を生きる人に

私事ですが、私が訳した一冊の本が出版されました。オリバー・リッチモンドという英国の平和研究者が書いた、『Peace（平和）』という本（邦訳は『平和理論入門』法律文化社）です。

折しも、ウクライナ戦争の真っただ中で、しかもパレスチナのイスラム組織ハマスがイスラエルを大規模攻撃したというニュースも飛び込んできました。日本もなぜか戦争準備を着々と進めているようで、沖縄でも平和を願う県民の声は踏みにじられたまま。南西諸島はもう、さながら軍事要塞のようになっています。知らない間に世界はどんどんきな臭くなっています。

そのような時代は、得てして平和ではなく「戦争の物語」が声高に叫ばれるようになり、またそのせいで、その物語を生きようとする人々が増えたりします。そもそも人類の歴史は、いつも弱肉強食だったし、食わなければ食われるとばかりに、そんな勇ましい議論があたかも説得力をもつかのようになります。しかしそうなると、ほんとうの戦争にはあと一歩です。

リッチモンドさんの本では、実は人類史上、私たちは戦争や暴力にかけたエネルギーや努力よりも多く、それを平和にかけてきたのだということが強調されています。考えてみれば当たり前ですね。私たちは、国家や権力者による戦争や暴力の歴史を学ぶことが多いのですが、しかし人類史のほとんどの時間、民衆は平和を願い、平和を築いてきました。そして多くの思想家や哲学者たちも、戦争ではなく、常に平和の条件を考えてきました。

リッチモンドさんはこの本で、「戦争の物語」ではなく「平和の物語」として歴史を書き直そうとしています。私はそれがとても重要なことだと思ったので、翻訳しようと決めました。またこの本は、これからの「平和」をつくるうえで、外交官や政治家、国際機関の職員だけでなく、草の根の市民による日常的な活動が主役になるということを教えてくれます。まさに戦争ではなく「平和の物語」を生きようとする、一人ひとりの市民のために書かれた本です。

これからの世界は、どう考えてもきな臭く、悪い材料しか思い当たりません。けれども、絶望の果てに「戦争の物語」の中に取り込まれないことが重要です。私たちは誰もが「平和の作り手（ピース・メーカー）」として、平和を日常的に創造し、それを維持し、戦争から守り切ることができる。その「平和の物語」を生きる人間として、希望をもちつづけることができると思っています。

第5章 次世代とともに

若者の嘆き

職業柄、若い人たちとやりとりします。こちらはどんどん歳を取りますが、学生諸君はいつも18歳から22、23歳です。いま息子と娘が大学生なので、自分の子どもと同じ年代から、日々新しい感覚を学びます。

限られた経験から、私なりに彼らの〝嘆き〟を要約すれば、「いまは、自分の良心に基づいて人や世界にやさしいことをやりつづけていては、まるで食べてはいけず、フツーの生活は望めない社会だ」ということに尽きるように思います。彼らにとって人生の選択肢は二つ。勇気を出して〝破滅〟覚悟で自分の心のおもむくままに生きるか、自分の心を封印して、長いものに巻かれながらなんとか「生活」していくか……。彼らにとって、その「あいだ」はありません。そのどちらかです。そしてもちろん、大多数の学生たちは後者を選択します。そもそも彼らの親の世代も、そうやって生きてきました。

現在の経済システムは、お金がなければゲームのプレイヤーにはなれません。生きるためにはお金が不可欠になります。しかし、現在のお金の論理は、実体経済から遊離し、ますます非人間化し狂気じみたものになっています。いま、お金を稼ぐことと、社会正義のために生きることは、簡単には両立しなくなっています。つまり、「良い仕事」が少なくなっています。それはもちろん、いまに始まったことではありませんが、その困難さは、かつてとは比較にならないくらい大きくなっています。

そんななかで、しかも社会から大切にされた経験がきわめて薄い若者たちが、「いまだけ、カネだけ、自分だけ」の論理を選び取っていくことは、むしろ自然なことなのかもしれません。「おらって」という市民エネルギーの試みは、このような流れに抗して、生活と社会正義とを両立可能にする「良い仕事」をつくることがほんとうにできるのか、という挑戦でもあります。そして日々、文字通り「苦闘」しています。正直に申し上げれば、これはきわめて難しい課題です。けれども、この課題は「おらって」が正面から取り組むべき、最重要の課題であることは疑いようがありません。

夜と夜明け

先日テレビを観ていたら、「幽霊東京」や「夜に駆ける」などの作曲で、いま若い人たちに大人気の20代のアーティスト、Ayaseさんが「いま、世界は〝夜〟じゃないですか」とサラッと言っていて、ほんとうにそうだなと思いました。

もちろん「いまの若い人たち」とひとくくりにはできないのですが、この〝夜〟の時代に、彼らはそれをすっかり自覚していて、その〝夜〟にふさわしい生きかたを模索しているようにも見えます。夜に独りで、携帯を経由して世界と細々とつながりながら、身の丈に合わない希望や夢はあきらめて、ひっそりと息をひそめて生きている彼らの姿を想像します。

そしてもしかすると、夜明けなど来ないほうがいいと思っているのかもしれません。独りでいる夜の心地よさにずっと沈み込んでいるほうが、せちがらい昼間の世界より、はるかに平和に生きられる。いま、こんなにひどい世界でも、夜明けを望まない若者も案外多いのかもしれません。

ずいぶん昔ですが、岡林信康の「友よ」という全共闘（団塊）世代の歌がありました。その歌詞は「友よ、夜明けは近い」というものでした。友と一緒に夜明けを待つというのは、私などはかなりしっくりくるイメージなのですが、おそらく、いまの若い世代には、当時信じられていた「友」も「夜明け」も、ほとんどイメージできないかもしれません。かつてのように、すぐに夜明けが来ると安易に信じ込まず、夜の暗闇でサバイバルしつづけながら、また他方でそこに安住することもなく、真の来るべき〝夜明け〟を信じつづけられるか。

「おらって」は太陽光の力で、もうひとつの社会の可能性を照らし出し、時代の〝夜明け〟を実現しようとしていますから、どうやら、たったいまの時代の気分とは真逆なのかもしれません。しかし、やがて〝夜明け〟はやってきます。そのときに備えるのが私たちの使命だと思っています。

たたかう若者たち

三島由紀夫が「自決」してちょうど半世紀が過ぎ、先日メディアでもいろいろな特集がありました。彼の鼻につくナルシシズムや自己演出、頭でっかちでトンチンカンな情熱には以前から違和感がありますが、彼の危機感、つまり、日本はただの「無機的な、からっぽな、ニュートラルな、中間色の、富裕な、抜目がない、或る経済的大国」になってしまうという判断は、しごく正しかったと思います。しかも現在この国は、もう「富裕な」「経済大国」ですらなくなりつつあります。

あのころは若者たちはたたかっていました。既存の社会とは違う社会を自分たちで創りださなければならない、少なくとも自分たちは社会に働きかけられるはずだ、という共通認識がありました。左派の学生運動も、右派の三島も、その点で同時代を生きていたといえます。しかし、多くの若者たちはその後さっそくスーツに着替えて、大人しく「豊かな社会」の中に飲み込まれていったわけです。

いま、この国に生きる若者たち、スーツに着替えた世代の子どもや孫たちの世代はどんなふうでしょうか。かつてともっとも違うのは、まるでブラックホールのような、彼らの底なしの〝無力感〟です。自分たちが生きる社会に対して、自分たちがゆめゆめ何かを実現できるなどと思うことはできません。逆に、自分は社会のお荷物なのではないか、自分は社会に必要ないのではないかと、自己嫌悪の中でビクビクして日々をやり過ごす。「生きているだけでいいんだよ」ということばをかけてあげなければ、たくさんの若者たちが静かに命を絶ってしまうというありさまです。三島が「自決」することと、いまの若者が自死に追い込まれることと、問題は深く奥底でつながっていながらも、あまりにも隔たった現実です。

今朝、ツイッターで、香港の民主主義を訴えて収監されている周庭（アグネス・チョウ）さんの現状が伝わってきました。彼女の仲間が、彼女に代わって彼女の声、そして権力の不当性を世界に訴えています。香港に限らず、メディアにはあらわれなくても、世界中でまだまだ多くのたたかう若者たちがいます。暗い時代でも、ひとすじの希望を感じます。

他者恐怖

26歳の母親が、交際相手に会うために、３歳の女の子を部屋に残して外出し衰弱死させた事件がありました。先日裁判の判決があって、新聞記事によれば、予想通り、被告となったその母親も虐待を受けて育ったという「成育歴」があったということでした。判決によれば、被告は虐待によって、①人を信頼できない、②相手に本心を伝えられない、③相手の要求に過剰に応えようとする、といった性格傾向になったとのこと。しかし、この三つの「性格傾向」って、気がつけば、いまに生きるほぼすべての日本人に共通ではないのか、と私はすぐに思いました。とくに若い世代、私が日常的にふれあう若い学生や若い教員（同僚）においては、この三つの「傾向」は、まるで判で押したように顕著に見られる特徴であると思います。

そして、もしそうだとすれば、もしかすると、ほぼすべての日本人、とくに若い人たちは、これまでずっと、ある種の「虐待」を受けてきたのだと仮定することができるかもしれません。中学生のころから、クラスの友人の表の顔とは異なるＳＮＳの「裏アカ（匿名の裏アカウント）」の顔と苦心してつきあい、けっして本心を直接伝えあうこともなく、相手の要求を常に忖度《そんたく》して「無難」に生きようとしてきた若者たち。大人たちも、社会システムに依存して、そこを「無難」に生きることが「成功」であるとの根拠のない信仰にしがみついて、社会の痛みや不幸には目もくれず自己利益ばかりを追求し、それでもちっとも幸せにはなれません。

ひとことで言えば、それは「他者恐怖の世界」と言うことができるかもしれません。ゾンビ映画のように、隣にいる人がいつ怪物になって襲ってくるかわからない。〈他者〉は基本的に信頼できず、いつ裏切るかもわからず、対立すれば襲いかかってくる脅威であると、骨身に染みて信じている私たち。そんな世界で、「おらって」がめざす民主主義も国際平和も実現できるわけがありませんね。最近は、民主主義を下から突き崩すこの「反民主主義の下部構造」に関心が向いています。

エンパワーメント

「エンパワーメント（empowerment）」。ほんとうの、実際上の、生きるための真の「力」を付与することを意味します。このことばは、たとえば１９９５年の北京女性会議では、女性たちが単に法的・名目的に平等な権利をもつというだけでなく、経済・教育・健康・社会参加などの多くの分野でも実質的な「力」をもつべきであるという意味で使われました。つまり、それぞれが自分の足で立って、現実に歩む「力」を与えるのが「エンパワーメント」です。

しかし、いまの世界ではこの逆の現象、「ディス・エンパワーメント」が顕著です。新型ウイルス禍でさらに格差が拡大し、女性や子どもなどの弱者はどんどん周辺に追いやられ、その声もしだいに社会の中心に届かなくなる。まるで「社会の底が抜けた」ように、いったん下降の穴に落ち込んだ個人は二度と自力で這い上がれなくなるという恐怖や不安。そして、自己肯定感や自己効力感がどんどんと剝奪されていくこの国の教育の現実も、「ディス・エンパワーメント」の典型例です。

よく日本の若者は「自己肯定感が低い」と言われますが、私は長年若い人たちを見ていて、年々その傾向が強まっているように感じます。自分に自信がもてない、他人の評価や眼が過度に気になる、怖くて本音や意見を言うことができない……という若者が確実に増えています。最近は「繊細さん」とか「ＨＳＰ（Highly Sensitive Person：周囲の刺激に過度に敏感な人）」などということばも流行っているようですが、これらのことばからは、漠然とした不安の中でビクビク怯えて、周囲の空気を読みながら「とりま（とりあえず）」毎日をサバイバルしている、傷つきやすい若者の姿が浮かび上がってきます。

さらに、ＳＮＳがそれに拍車をかけています。ＳＮＳは、自分の社会的「評価」が携帯の画面に映る「自分」への「いいね」（承認）の数で決まるという世界です。ほんとうは生きているだけで輝いているのに、他者の視点から「映《ば》えて」いないと存在の意味が確認できない。そんな日常に囲まれていると、誰もがすぐに「病んで」しまいます。

私は「おらって」の活動や大学での教育などを通じて、すべての人間が、自分を社会に有用な存在、歴史の主体であると感じとることができるようになればと思っています。もちろん、なかなかうまくいかないこともありますが、このようなあらゆる領域での「エンパワーメント」こそ、「おらって」の最大の目標のひとつにほかなりません。

〈対話〉について

私たち「おらって」は〈対話〉に重きを置きます。あらためて、〈対話〉って何でしょうね。日本では、「沈黙は金」とか「口は災いの元」と言って、なるべく余計なことをしゃべらないのが良いこととされてきました。たしかに、コミュニケーションにおいて慎み深いことは重要かもしれません。けれども、言いたいことがあっても、空気を読んでいつも胸にしまってばかりいるとか、逆に他者の声にはちっとも耳を傾けず、最終的に自分の地位や立場だけで発言してしまっているとすれば、そこから真の〈対話〉は生まれません。

前者は、そのうちにわだかまった気持ちのマグマが噴出し、〈対話〉ではなく、あるいは〈暴力〉を誘発するかもしれません。後者は、そもそもはじめから〈対話〉などではなく、単なる〈権力〉の行使にすぎません。いずれも、けっして民主的な社会をつくりあげることはできないでしょう。

日本人の多くは〈対話〉が苦手です。それは、たとえば日本人の代表たちが集まる国会の審議を見ていればよくわかります。そこにあるのは、およそ討論や熟議などではなく、逆によく言われる「東大話法」、すなわち論点のはぐらかしやその場限りの言い逃れ、最後は「私は総理大臣だから間違わない」といったような、みずからの地位や立場のみに依存する言説ばかりです。

言うべき重要なことは相手にしっかり伝える。それは、相手を対等な人格として信頼しているからできることです。また、相手の発言には全人格的に耳を傾ける。それによって、相手の力を借りながら、それまでの小さな自分の限界を超えた、より高次の結論を導き出す。それが〈対話〉の本質だと思います。

「沈黙は災いの元」。むしろ、それを「おらって」の格言にできればと思います。

リテラシーの危機

「リテラシー（literacy）」。よく聞くことばです。読み書き能力や、ある分野の基本的なものごとを理解する能力も意味します。それゆえ、たとえば「ＩＴリテラシー」や「メディアリテラシー」のように使われます。学校教育における基本的な目標でもあるでしょう。しかし、この本来「基本的」な能力は、現代において二つの理由で、獲得するのが難しくなっていると思います。

ひとつは単純に、教育における格差問題です。家庭の経済的事情などで、とくに言語的な意味でのリテラシーを育むチャンスを失ってしまっている子どもが増えているのではないか。これは統計的なデータからではなく、教師としての肌感覚にすぎません。けれども、かならずしも「発達障害」や「学習障害」などでなくても、全般的に、基本的な会話や文章の文脈を理解する能力が乏しい若者たちによく出会います。自律的な思考を育む前の、ことばの意味や文脈を的確に理解する力はとても大切ですが、ここが少しずつ壊れているのではないか。ただ、よく考えれば、この国の政治家たちが（漢字が読めないのは論外として）毎日のように日本語の意味や論理を破壊している現実を見ていると、それこそが問題の根源なのではないかと思ったりもします。

二つめは、現代世界自体の複雑化です。現代世界は情報化が高度に進み、しまいには何が「虚偽」で何が「現実」なのかもわからなくなるほど混沌化しています。映画『マトリックス』で描かれる世界のように、自分がこの世界を泳ぎ切るリテラシーをちゃんと備えていると思っていても、実はそれは虚偽のシステムの中でそう思わされているだけなのかもしれません。原子力発電所が爆発したことも、地球温暖化によって各地で自然災害が起きていることも、あるいは「気のせい」かもしれません。実際に自分が当事者になるまでは、他者の悲惨な経験でさえも、とりあえず自分の「現実」にはほとんど無関係なこと。それゆえ当然、歴史も意味をなしません。結局、何が「真実」なのかわからず、それを考えてもひたすら気分が落ち込むだけ……。そうなると、次にやってくるのは思考停止と、確実で大きなものに抱かれたいという願望（権威主義）、根拠のない予言や迷信にすがろうとするカルトの世界です。

ある分野のリテラシーを獲得しても、それが常に相対化され無力化されつづける世界だと、人間はしだいに、ものごとを理解する基本的な道筋があるという、「リテラシー」という考えかたそのものに疑いをもつようになるでしょう。それによって最終的に出現する世界は、信じたい、わかりやすく単純な「虚偽」だけを「真実」として、それだけを理解し信じようとする人々によって構成される、まさに相互に分断されたディストピアの世界です。

このように現代は、いわばリテラシーの危機の時代であるといえます。しかし、私たち「おらって」もまた、けっしてあきらめずに、環境、エネルギー、未来社会についてのリテラシーをともに育んでゆきたいと思っています。

「コンテキスト」を取り戻す

「コンテキスト（context）」ということばを聞いたことがあるでしょうか。私はふつう「文脈」

などと訳したりしますが、語源を見てみると「con＝一緒に、共に」＋「text＝テキスト、編む、織る」ということのようです。つまり「一緒にテキスト＝物語を編んでゆく」というイメージから、「文脈」という意味にもなるのだと想像できます。

なぜこんな話をするかといえば、最近、私たちの社会では、個々人の「テキスト＝物語」は単にバラバラに存在するだけで、あまり共有されなくなっているのではないか、と思うからです。そもそも個々人が自分の「物語」を見失っているという根源的な問題があるのですが、すべての事象が「文脈」を切り離されて並列に並べられ、消費されるということが当たり前になってしまっているのではないかと思います。

これは、たとえばサイバーネット空間がそうで、すべての情報がその「文脈」をバラバラにされて並んでいます。小さいころからそんな世界を生きている若い人たちは、自分が生きているという「文脈」が、血液型占いや教室で空気を読むことから始まり、安易な歴史修正主義や排外的民族主義にまで至る、常にシステムが提供する陳腐な均一の「テキスト」に回収されることに慣れきっているようにも見えます。「文脈」を切り離されたスローガンに、条件反射的に適合する心の習慣によって、いとも簡単に個々人の方向感覚が回収されてしまう状況を、あまりにも多く見聞きします。

ずいぶん難しい言いかたになりましたが、日々若い人たちと接するなかで、彼らがなぜ常に自分の本心をひた隠し、他者や世界に怯えながら（またこれを軽視しながら）生きているのか、なぜ彼らは社会や政治、公共性の問題にほとんど関心をもつことができないのか、といった疑問を考えるなかで到達した暫定的な見方です。

ＡＩ（人工知能）は文章の「文脈」を理解することが不得手だ、ということをどこかで聞いた気がします。しかし、もしそうだとすれば、「文脈」を失いつつある人間自体が、逆にＡＩ（機械）に近づいていると言えるのかもしれません。人間として生きるということは、自分の唯一無二の「物語」の中で、またしばしばそれを他者と共有しながら、共通の「物語」や「文脈」を創りだす重層的なプロセスだとすれば、まさにその内発的・自発的な「物語」の共有＝「文脈（context）」の生成こそ、いま私たちが徹底的に欠落させているものなのではないかと思います。

シェイクスピアの効用

私が勤める大学のゼミの卒業生で、職場環境の悪化で苦しむ学生がいるというので相談にのりました。これはよくあることです。長年学生の相談を聞きながら、年を追うごとに、多くの地方企業が経営に窮しているのではないかと肌で感じます。愚政によって日本全体が沈没しつつあるので、地方も例外というわけにはいかないでしょう。しかし、大学の教員ごときに何かができるわけではありません。それであるとき、ふとひらめいて、シェイクスピアを読む読書会を開くことになりました。

ハムレット、ロミオとジュリエット、マクベス、リア王、リチャード三世、オセロー、冬物語、ヴェニスの商人など、常に4～5名の少人数でどんどん読み進め、いまではシェイクスピア全作品の「制覇」をめざしています。

もちろん、卒業生たちの現実の仕事には、古い戯曲など「何の役にも」立ちません。けれども、仕事にまったく関係がない本を読んであれこれと友人と語らうことこそが、厳しい娑婆《しゃば》の現実をのりこえる力になります。シェイクスピア作品には、善人も悪人も、想いを遺した亡霊までもが出てきます。そこには、この人間世界の喜怒哀楽がすべて詰まっているようです。そして、そういう歴史的な広がりをもった物語の中で彷徨《ほうこう》しているうちに、「人生もまたすべからく芝居」という達観した気持ちも湧き上がってくるようになります。

私たちは「物語」の中で生きています。そのストーリーがどんなものであれ、一人ひとりの人生に「物語」はあります。そして、その自分の「物語」をみごとに演じきるには、他者や世界に溢れる無数の「物語」についても知っておくことが役に立つでしょう。現代の最大の問題のひとつは、個々の「物語」がそれぞれ孤立していて、ほかの「物語」と分断されていることにあると思います。分断されてしまうと、個々の「物語」はなんと貧相になってしまうことでしょうか。

個々の「物語」が世界とつながっていることを学ぶには、his story（彼の歴史）、すなわちhistory（歴史）を学ぶことが近道です。そしてそれこそが、大学教育の目的のひとつにほかなりません。学べば学ぶほど、自分の小さな囚われから解放され、自由に生きることができるようになる。読書会に集まる若者たちは、その真のよろこびを忘れずにいることで、閉塞していく現実社会の中で完全に溺死することなく、生活の現場から少しずつ新しい世界を創造していくことができるようになります。

ゆっくり歩くということ

私の小学校からの友人が、肝臓がんになってしまいました。ただちに手術が必要だということですが、術後生存率は驚くほど低く、それならということで、悩みに悩んだ挙句、手術はやめていまは自宅療養をしています。幸い病状が急速に悪化することもなく、毎日彼なりにのんびり楽しく生活しているようです。

先日電話してみると、いい季節になって毎日散歩するとのこと。散歩はいい、という話で盛り上がったのですが、彼の散歩は、ほんとうにゆっくりと歩くのだそうです。私は、ふつうの散歩自体が人間の活動の中でもごくゆっくりとした行為だと思っていましたが、彼の言う「さらにゆっくりした散歩」では、ふつうの散歩では見落としてしまうことを、たくさん味わうことができるのだそうです。「ふつうの散歩ではあまり目に留まらなかった、普段は目立たない、たくさんの雑草などの美しさを味わうことができる」と彼は言います。「それに、ゆっくり動くと、ついうっかり間違うことが減る」とも。

つまり、時速4kmでも速すぎる、ということです。考えてみれば、生命の歴史的な時間は何億年の単位です。「そんなに急いでどこへ行く」ということなのかもしれません。近代社会に生きる私たちは、限られた時間にどれだけ多くのことをやり遂げることができるのか、そればかりを考えがちになります。でもそうではなく、永遠につながる「いま」をゆっくりと、もっと豊かで、たおやかに生きることができるかもしれない。友人と話していて、そんなことを考えました。

折しも世間は、0コンマ1秒を争うオリンピック競技や、時速600kmをめざすリニアモーターカーなどで騒がしくなっています。昭和の高度成長期を経験してきた私や友人の世代は、そのような熱い時代の空気を懐かしく思い出しつつも、それはもう遠くの過ぎ去った記憶にすぎません。

もう、そんなに急がなくていいのではないでしょうか。もっと身近に、見逃している人生の宝物がたくさんあるかもしれません。これからは、せいぜい時速２㎞くらいで歩いてみるというのも、むしろ新しい生きかたであるような気がしています。

【追記】この「友人」は、本名は塚原活くん、通称は「ぺぺ長谷川」といって、近年ふたたび話題になっている「だめ連」の創始者でもあります。２０２３年に、たくさんの友人たちに見送られて天国に逝きました。

「不服従」の胎動

最近、中国の若者のあいだで「寝そべり（躺平《タンピン》）族」と呼ばれる一種の抵抗運動が起きているというニュースを聞きます。ごく短期間で高度な経済成長を遂げた中国ですが、習近平さんが言う「共同富裕（みんなで豊かになる）」というスローガンと現実はずいぶん異なっていて、むしろ都市と農村で格差が拡大し、社会の階層化が進んでいるようです。若者たちは、少しでも階層を駆け上がろうと厳しい受験戦争をたたかうのですが、結局、主に親の代からの財産や人脈に恵まれている都会人が勝者になり、そうでない人や農村の若者は多くが取り残される。また、たとえ受験競争を勝ち抜いたとしても、大学卒業後、さらに厳しい市場社会の過酷な労働が待ち構えている。そんななか、自分の人生の意味や幸福について、いわば哲学的に反省するようになった若者たちが、意識的に「不買房、不買車、不談恋愛、不結婚、不生娃、低水平消費（家を買わない、車を買わない、恋愛しない、結婚しない、子どもをつくらない、消費は低水準）」といったライフスタイルを選択するようになっているとのことです。

最近、日本でも「親ガチャ」ということばがあるように、大人や社会が唱道するゲームに従って競争しても結局、その先に人生の幸福は約束されていないのではないか、という根源的な疑問が、国境を越えて多くの若者にも共有されるようになっています。これは、政府や国ごとの問題であるというより、もはや資本主義そのものの文化的・精神的矛盾であるととらえるべきだと私は考えています。

しかしその一方、私たちは、依然としてこの資本主義的な競争ゲームをしっかりと身に帯びて努力し「成功」しようとしている若者がいることを知っています。「勝ち組」の若者たちは、みずからの努力の果実を満足して享受しているようにも見えます。ただ、彼らがほんとうにそれを自己の生きる原理として、真に納得してそうしているとは限らないのではないか、とも思えます。唯一お金がすべての資本主義というゲームの〝代案〟がないために、「賢明な」若者ほど、不承不承ではあれ当座このゲームに参加し、来るべき最低限の「勝利」のために身を削っているだけにすぎないのかもしれません。そして、もしそうなら、努力のすえに獲得した学問も仕事も、単に与えられた不承不承のゲームのトークン（代用貨幣）のようなもので、真の人生の目的とは異なる二次的なものにとどまってしまうことになります。そしてそれは、現代のエリートたちの仕事がいっさいの公共的精神を失っている理由でもあるでしょう。

日本は、中国や韓国、台湾などの隣国に比べ、「非暴力・不服従」（M・ガンディー）のうちの「非暴力」は定着していても「不服従」の要素が弱いといえます。しかし、不登校やひきこもりなど、現在「問題」だとされている若者たちの行動は、実は「不服従」の実践なのかもしれません。私は、いつの時代にも、若者たちのさまざまなかたちの「抵抗」に時代を刷新する可能性があると思っていますが、とくにこの資本主義が極度に展開した国々における新しい「不服従」の動きは、とても重要な意味をもっていると思っています。

こなす、やり過ごす、あるいは見通すということ

現代に生きる私たちは、おそらく誰もが、漠然とした不安のなかで日々なんとかやり過ごして生活しています。当座「生きる」ためには、あれこれやらなければならないこともけっこう多く、

それをこなしているうちに一日が終わってしまいます。人生のほとんどの時間は、寝たり、食べたり、ほかに諸々の生活を整えるための仕事をこなすなかで費やされていきます。

それはまた社会一般もそうであって、毎日の株式市場に一喜一憂する企業も、特ダネを追いかけるマスメディアも、内外の圧力や当座の国会を乗り切ろうとする政府も大差ありません。「生きる」ためには、まるで波乗りをするように、次から次へと押し寄せる課題の波を、上手にやり過ごさなければなりません。

実際、現代の学校教育で養成されているのも、もっぱらそのための能力です。与えられた計画の締め切りまでに的確に課題をこなす。少々の突発的な課題に対しても、優先順位をつけて無難にやり過ごす。そして、そういった能力に長けているのが受験ゲームを要領よく勝ち抜いた学歴エリートや官僚たちですから、彼らがさらにこの価値観を社会に徹底させようとするのも無理はありません。

一方、逆にそういった自己統治能力が欠けているとされる人たちは、時間を効率的に使えず、組織の運行速度に適応できなくなるので、時に「落ちこぼれ」や「負け組」と呼ばれ、社会的に負の価値が付与されたりします。近代社会では、このいわば〝二宮金次郎的な〟勤勉の資質こそが尊ばれます。そして、組織内での分業を前提としたこの目的合理的な資質こそが、日本の経済成長にも大きく寄与したことは否めません。

しかし他方で、課題を「こなす」この能力は、現在のように世界全体が大きく揺れ動くような時代では、むしろ裏目に出ることもあるでしょう。「こなす」能力が十全に機能する前提は、〝前例〟が成り立つような安定した制度や世界の存在にほかならないからです。しかし、世界全体が不安定な時代になっても〝前例〟に固執すると、直面する新たな危機に対して無力であるだけでなく、逆にその危機を倍増させてしまうことにもなりかねません。

危機の時代、そして「世直し」が必要な時代には、すいぶん先の未来を予感する、すなわち「見通す」というもうひとつの能力が必要になります。「学校や職場に行っている場合じゃない！」と訴えているグレタ・トゥーンベリさんを思い浮かべます。あるいは、それを古代人に当てはめれば、計画性を重視する農耕民族的な能力というよりも、より狩猟採集的な能力と言うこともできるかもしれません。私たち現代人も、日常の中に、「こなす」や「やり過ごす」ことに加え、少しでも次世代や地球の未来をリアルに想像する時間をもつこと、すなわち「見通す」心の習慣を身につけることも重要ではないかと思います。

世代交代

よく「世代交代」といいます。社会も人間の身体と同じで、新陳代謝がなければ死んでしまいます。社会を硬直した組織としてではなく、新陳代謝するやわらかい生き物として考えることは大切です。たとえば、リーダーが高齢化している国々を見ると、その国が全体として「老化」していることがわかります。

ただ、〝新陳代謝〟ですから、単に古いものを新しいものに一挙に取り替えるというイメージも少し違うような気もします。私たちの身体のように、日々少しずつ、前の世代から次の世代への生命の受け渡しの作業があるというのが適切なイメージだと思います。その継続の受け渡しの営みこそ、私たちが「教育」と呼ぶものにほかなりません。

時代に即した新しい感性や可能性、多様に伸びる力を阻害することなく、他方で、これまで蓄積された成果や努力の本質をしっかりと伝えていく。それが滞りなくうまくいった場合に、その社会は調和のとれたかたちで生きつづけることができるのだと思います。その意味で、昨今の「持続可能な社会」という概念にも、教育は中心的な要素を占めています。

さて、私たちの社会を振り返ってみれば、大人は子どもたちの新しい可能性の芽を摘み、他方で若者たちには先人の歴史は継受されない社会の現実を見ることができます。そのような社会は「死にゆく社会」です。あらゆる領域で「世代交代」が必要になっていますが、それは単に人が入れ替わるだけではダメだということがわかります。すべての社会の構成員が、前の時代の成果や経験について謙虚に学び、常に次の世代を担う後輩を助ける。そのすべての世代の人間による日常的な実践こそが、望ましい「世代交代」の姿であると思います。

うれしいこと

最近うれしいことは、「おらって」を、なんと〝研究対象〟にしようとする若い大学生や大学院生がちらほらとあらわれてきたということです。しかも新潟だけでなく、たとえば東京や海外の大学などからも申し出があります。

私も研究職なのでわかるのですが、大学院生が選ぶ研究テーマとは、その学生が自分の勉強量や霊感、そして何よりも自分の〝実存〟を懸けたものにほかなりません。もし「おらって」が外から見て、若い感性によって「おもしろい！」あるいは少なくとも「おもしろそうだ！」と感じてもらえているのだとすれば、それはほんとうに名誉なことです。「おらって」が誕生してからずいぶん時間が経ちましたが、ずっと内部にいるメンバーは、得てして自分たちがやっていることの本来の意義について忘れがちになります。けれども、このような「研究してみたい」という若者たちに出会うと、いわば「初心に帰る」気分にもなります。「おらって」の何が外から見ておもしろいと思うのか、それを彼らから教えてもらい、私たちは逆に、そこから学ぶ必要があるのではないかと思っています。

新入生のみなさんへ――コロナ禍下での国際学部長あいさつ

新入生のみなさんへ。国際学部を代表してごあいさつします。今回は、本学が開学して初めての事態で、みなさんに直接会ってお話しできず、ほんとうに残念です。それで、お会いしてお伝えしたかったことを短い文章にしてみました。

まず、あなたたちはほんとうにラッキーです。中には、もしかすると第一志望ではなく、他大学を受験して失敗してきた諸君もいるかもしれません。ただなんとなく、成り行きでやってきた諸君もいるでしょう。けれども、入学した後に、きっと本学で良かったと思うはずです。というのも、みなさんが入学する国際学部は、全国でも選りすぐりの先生たちを集めているからです。これはほんとうです。どの先生も、国内外の第一線で活躍するすぐれた先生たちです。みなさんがその気になれば、どの大学に行くよりも最先端の知性に触れ、高度な学問を修めることができると思います。すでに多くの先輩が証明していますが、みなさんのやる気しだいで、卒業後には胸を張って、世界のどんな場所でも活躍できる人物になれると思います。

実は、これまでみなさんが信じてきた、偏差値や受験勉強のものさしは、これからの時代にはほとんど頼りになりません。今日を限りに、すべて忘れてください。それで、正直「勉強」が苦手だった人でも、大学での「学問」のほんとうのおもしろさに触れてみてください。学び・問う「学問」は「勉強」とは異なります。大学では、正解を見つけることよりも〝問う〟ことがずっと大切になります。子どものころにもっていたような素朴な〝問い〟を、また思い出してください。そして、みなさんが徐々に、頭だけでなく、体全体で実践する「学問」を深めれば深めるほど、それが真の「遊び」や「自由」に近いものであることがわかるようになるはずです。

みなさんがラッキーである、もうひとつの理由があります。期せずして、みなさんは新型コロナウイルスの猛威が世界中を覆う最中に入学されます。おそらく人類史はこれから大きな転換期を迎えるでしょう。これまで大人たちが「常識」だと言ってきたことも、ガラガラと音を立てて崩れていくと思います。そしてもちろん、これから生きるうえで必要になる知性や能力もまた、大きく変化するでしょう。大げさに聞こえるかもしれませんが、これから人類は、また一から新しい文明や社会をつくらなければならなくなっています。そしてみなさん全員が、その担い手になります。

きっと22世紀を見ることになるみなさんへ。これまでの小さな後悔や失敗などは全部忘れて、みなさんが自分の内側に眠りこませてきた無限大の可能性を、ぜひこの国際学部で再発掘してください。みなさんが少しだけ勇気を出して、研究室の扉をノックすれば、国際学部の先生方は、そのための労をいといません。

ご入学おめでとう。みなさんと出会うことができて、ほんとうにうれしく思います。来週からぜひ一緒に、新しい時代の、新しい学びのかたちを探求しましょう。

補論

〈文明〉転換への挑戦——「エネルギー・デモクラシー」の論理と実践

はじめに——「内なる無限」の思想

韓国併合(1910年)の翌年、内村鑑三(1861〜1930年)は、当時の「小国」デンマークの姿を参照しながら、その後日本が突き進んでいくことになる植民地主義的な対外拡張路線とは真逆の国家像について語っている。[*1]「富国強兵」をひたすら追求し、植民地になるか、さもなくば植民地をもつか、といった当時の権力政治的世界観《パワー・ポリティクス》に対して内村は、国家の興亡を決する真の「国力」とは何かについての興味深い問題提起を行った。

「国の興亡は戦争の勝敗によりません、その民の平素の修養によります。……牢固たる精神ありて戦敗はかえって善き刺激となりて不幸の民を興します。デンマークは実にその善き実例であります」(『後世への最大遺物・デンマルク国の話』岩波文庫版、92頁)

そこで内村が提起したのは、他国を奪い、「外なる有限」に向かう国家の限界と、デンマークのように国内の開拓に依拠する、いわば「内なる無限」に向かう政治の可能性である。国土の多くを失うほどの敗戦の後、デンマークが向かった「内なる無限」とは、国内の豊かな自然環境と自然エネルギー、そして何よりも国民一人ひとりの精神が秘めた潜在的な可能性であった。

「富は有利化されたるエネルギー（力）であります。しかしてエネルギーは太陽の光線にもあります、海の波濤《なみ》にもあります、吹く風にもあります、噴火する火山にもあります。もしこれを利用するを得ますればこれらはみなことごとく富源であります。かならずしも英国のごとく世界の陸面六分の一の持ち主となるの必要はありません。デンマークで足ります。然り、それよりも小なる国で足ります。外に拡がらんとするよりは内を開発すべきであります」（93頁）

内村がデンマークの国づくりで着目したのは、植民地主義を脱し、いわば再生可能エネルギーと国民の教育とによって国家の未来を切り拓く道であった。化石燃料や市場をめぐって列強がしのぎを削る当時の国際環境の中で、内村のこのような国家像がどれほど「現実的」なものとして広く受けとめられたかは疑わしい。しかし、その後の日本のアジア侵略の破綻、1945年の原子爆弾投下と敗戦、また2011年の東京電力福島第一原発の過酷事故（3・11）という、いわば「第二の敗戦」の経験を経た現在、私たちはこの内村の主張が内包していた「リアリズム」と先見性について、ようやく思いをめぐらすべきときを迎えているように思える。

＊1　内村鑑三『後世への最大遺物・デンマルク国の話』（岩波書店、1946年）。内村は、当時のデンマークを「人口一人に対し世界第一の富」を誇っていると語っているが、実際現在もデンマークは「世界幸福度指数」で常に一、二を争う国であるだけでなく、一人当たりGDPも日本の1・5から2倍を誇っている。オイルショック以降、国民的な議論を経て、1985年にはヨーロッパでもいち早く脱原発政策を打ち出し、2050年には再生可能エネルギー100％をめざす自然エネルギー先進国である。一方、日本は1945年の「敗戦」の意味を十分に学び取ることなく、戦後も米国の「下請けの帝国」（酒井直樹）としてアジアを踏み台に「富国」を享受し、また米国の衰退とともに衰退へと向かっている。教育予算をOECD諸国で最低レベルまで削減しつづけ、逆に軍事予算を肥大化させ、依然として原発を「ベースロード電源」と位置づける日本は、デンマークと比して、まるで歴史を逆走するかのようである。

1　「文明災」としての〈3・11〉──「エネルギー植民地主義」の末路

〈3・11〉とはいかなる経験であったのか。おそらく、私たちがこの問題を今後どの〝深度〟で考え抜くことができるのかという点に、この国のゆくえがかかっている。梅原猛（1925〜2019年）は〈3・11〉を「文明災」と呼んだ。もちろん、あの未曽有《みぞう》の大地震がなければ、また東京電力株式会社が対策を怠らなければ、あるいは、歴代政府が地震大国日本において原発開発を積極推進しなければ、故郷を失う何万もの人々は生まれなかった。その意味で〈3・11〉は「天災」であり「人災」でもあった。しかし梅原のように、明治維新から150年もの日本近代文明のありかたそのものを問う視点から、〈3・11〉をとらえ返すことも可能である。[*2]

そもそも、東京に電力を供給するための原発が、なぜ福島や新潟に設置されたのかという根源的な問いがある。明治以降、地方は東京のための労働力や食料、エネルギーの供給地として位置づけられてきた。国策である原発建設もまた、ナショナルな「エネルギー安全保障」の観点から、低開発を余儀なくされていた地方を中心に次々と進められたが、それがかかえるリスクは単純にその地方と未来世代に移譲された。つまり、日本が「富国」へと向かう近代化のプロセスにおいても、他の例に漏れず、ごく一部の政策エリートたちによる中央集権主義と「最大多数の最大幸福」〈功利主義〉の論理によって、〈中央〉の利益や安全のために〈周辺〉が不利益やリスクを背負うという「犠牲の構造」がつくりあげられていった。[*3]

他方で、地方も東京からのマネーによって潤ってきたはずだという、常に提起される反論がある。しかし、そのような議論そのものが植民地主義イデオロギーの中核をなすものであることを別としても、近年、たとえば原発が実際にどれほど立地地域に「富」と「発展」をもたらしてきたのかという根本的な疑問に基づく再検証もなされるようになった。たとえば、世界最大級の原発が立地する新潟の地元新聞社は、独自の現地調査の後、原発の経済効果は根拠の乏しい「神話」にすぎず、そのような「神話」は、明治時代から新潟県が首都圏の電源地として位置づけられる経緯のなかで形成されたと結論づけている。[*4]

かつて原子力は科学技術の先端であり、「豊かな未来」の象徴であった。しかし、すでに明らかになっているように、そのきっかけとなったアイゼンハワー米大統領の「原子力の平和利用《アトムズ・フォー・ピース》」宣言（1953年）の背景には、日本人の「核アレルギー」の払拭と、東西冷戦構造下における核兵器（核技術）の政治利用という、もうひとつの帝国的支配の論理が潜んでいた。〈3・11〉の悲劇が起こるまでの多くの歴史的文脈の背景には、このような、いわば多層的な「エネルギー植民地主義（energy colonialism）」の論理が一貫して横たわっていたと言える。[*5]

＊2　これに関連し、かつて丸山眞男（1914〜1996年）が日本敗戦の権力構造を分析し、それを「無責任の体系」と呼んだことを思い起こしたい。そして、この日本社会の根源的病理は、まさに〈3・11〉とその後の政治的「処理」をめぐるさまざまな対応においても再現された。東京電力福島原子力発電所事故調査委員会（国会事故調）で指摘された「原子力ムラ」という無責任体系の温床は、いまだ厳然と残存したままである。その意味でも〈3・11〉の経験は、日本人にとっての1945年に続く「第二の敗戦」として記憶しつづけられるべきである。「戦争責任」をついに追及しきれなかった日本人は、再度〈3・11〉の責任の所在をあいまいにしたまま、オリンピックと万博の狂騒の中でまたもや歴史的覚醒の契機を見失おうとしている。

＊3　この構造は言うまでもなく、「国家安全保障」のために「民衆の安全保障」が脅かされている沖縄の米軍基地問題においても見られる。これを「安全保障植民地主義」と呼んでもよいだろう。そしてこの構造は、水俣病（新潟では「第二水俣病」）事件をはじめとする日本の公害問題と〈3・11〉とをつなぐ共通の論理でもある。

＊4　新潟日報社原発問題特別取材班『崩れた原発「経済神話」』（明石書店、2017年）。もちろん、原発立地自治体の財政は、「電源三法」をはじめとする補助金システムによって原発に依存してきた度合いが甚大

であると言える。たとえば、柏崎刈羽原発が立地する刈羽村の財政における歳入の約7割以上は原発関連によるものだと言われている。しかしこのことが、いかに自治体の財政をゆがめ、地域の自立を阻んできたのかという、その長期的なコストについても見直しが始まりつつある。

＊5　「エネルギー植民地主義」とは、エネルギーを媒介にした支配―被支配関係を包括的に表すための筆者の造語であり、概念としていまだ洗練されていない。当該概念は、〈周辺〉に存在するエネルギー資源の〈中心〉による収奪という意味にとどまらず、エネルギー資源や技術を利用した〈周辺〉への政治的支配という含意もある。これに関連して、冷戦期の米国と東アジアの同盟諸国との核エネルギーをめぐる関係について、筆者はかねてより原子力発電（核の「平和」利用）だけでなく核兵器（軍事利用）も含めた包括的な「核政治（Atom-politics）」の視点が必要であると考えてきた。

2　「エネルギー・デモクラシー」とは何か――民主主義理論のフロンティア

エネルギーは近代文明のいわば「血液」である。したがって、エネルギーのありかたは社会のありかたそのものを規定する。ティモシー・ミッチェル（1955年〜）は『炭素民主主義』の中で、エネルギーが石炭を基盤とする時代に、その生産の帰趨《きすう》を決する炭鉱労働者の存在と彼らの集団的権利要求が、現代民主主義の基礎を築いたという興味深い指摘をしている。しかしその後、世界が石油の時代を迎え、生産地と消費地が切り離された巨大パイプラインによるエネルギー供給体制に移行するなかで、労働者の統一的闘争が困難になり、民主主義が衰退していったという。

彼によれば、石油産業の発展はその当初から、当時強力だった労働運動を抑制する政治的な意図をもっていた。[*6]

社会で使用されるエネルギーのありかたが民主主義に決定的な影響を与えるという、近年注目されるこのような物質主義的理解を前提とした場合、原子力エネルギーはどのような社会システムをつくりだすのだろうか。かつてロベルト・ユンク（1913〜1994年）が指摘したように、原子力発電という巨大テクノロジーは、おのずと専門家支配や秘密主義、すなわち非民主主義的な社会をもたらす。とくに原子力技術は核兵器開発の歴史と深く連関しており、社会に官僚主義のみならず軍事主義の病理をも忍び込ませる。[*7] 実際、冷戦期の東アジアでも、西側では日本を皮切りに、複数の権威主義体制下で国策としての原子力発電が導入され、また同時に、核兵器開発も秘密裡に検討された。その意味で、権威主義体制が民主化するプロセスにおいて、原発問題がおのずと政治的に争点化するケースが多く見られることは、ごく自然であると言える。そしてここから、中央集権と地域分断をともなうこのような「原発型社会」が、原子力から再生可能エネルギーへの「エネルギー転換（energy transition）」によって大きく変容する可能性も指摘することができるだろう。

エネルギーの転換が社会を民主化する可能性について、あるいは、社会の民主化がエネルギー転換をもたらす可能性について考える枠組みが、「エネルギー・デモクラシー」の議論である。

この概念は、主にヨーロッパのエネルギー転換の運動と実践の中から生成し、[*8] 近年学問的にも精緻化されつつある。たとえばカスパー・シュレツキは、この概念が、脱炭素化とエネルギー転換という規範的目標を示すと同時に、すでにある脱中心化したボトムアップによる市民のエネルギー政策への参加の実例を意味しているとし、エネルギーが「民主的」であるということは何を意味するのか、またそれがなぜ望ましいのかを、倫理的観点からのみならず、より実践的な観点から議論している。[*9]

たしかに、現在世界最大の自然エネルギー推進国である中国の例もあるように、エネルギー転換と体制としての「民主主義」とは、かならずしも符合しない。しかし、太陽光、風力、バイオマスなどの再生可能エネルギーは、偏在する化石燃料と比較して、地球上のあらゆる場所に存在する分散的なエネルギーであり、その生産・管理において分権的なシステムと親和性が高い。再生可能エネルギーを主とする社会システムが、自治に基づく分権的なものになるという仮説は、今後さらに検証が必要である。しかし「エネルギー・デモクラシー」の議論は、これまでもっぱら政治的諸制度の枠内で議論されてきた民主主義理論に、新たに〈エネルギー〉の視点を導入することで、「テクノロジーと民主主義」「経済活動と民主主義」そして「自然（エコロジー）と民主主義」という主に三つの、より包括的で実践的な課題を包摂する、新たな民主主義理論の地平を切り拓く。

現在、世界規模で危機に瀕《ひん》している自由民主主義《リベラル・デモクラシー》に対して、私たちが有効な救済策を導き出すためには、民主主義的諸制度を表面的に改編するだけでなく、民主主義が成立する社会的諸条件、すなわち、「民主主義の下部構造」を立て直す必要があるだろう。[*10] そしてその実践は、まさに地方から始まりつつある。

＊6 Timothy Mitchell, *Carbon Democracy: Political Power in the Age of Oil.* Verso, 2011.

＊7 ロベルト・ユンク『原子力帝国』（山口祐弘訳、社会思想社、1989年）。

＊8 飯田哲也『北欧のエネルギーデモクラシー』（新評論、2000年）。

＊9 Kacper Szulecki, "Conceptualizing Energy Democracy," *Environmental Politics*, Vol.27, No.1, 2018. pp. 21-41. 彼がとくに着目するのが、消費者（コンシューマー）と生産者（プロデューサー）を掛け合わせた「プロシューマー市民（the prosumer-citizen）」の概念である。来るべき民主的なエネルギー社会では、市民は単にエネルギーの消費者であるだけでなく、エネルギー政策の形成プロセスに積極的に参加し、また生産手段そのものの所有者となる。

＊10 すでに多々指摘されているように、「市民社会スペース」は縮小し、「ファシズム」や排外主義、軍事主義《ミリタリズム》の足音がふたたび世界を覆いつつある。一方、グローバルな自由主義経済《リベラル・エコノミー》は、このような政治の解体や危機を抑制するのではなく、むしろそれを確実に助長している（ベンジャミン・バーバー『ジハード対マックワールド――市民社会の夢は終わったのか』鈴木主税訳、三田出版会、1997年を参照）。

3　地域の「安全」をめぐる〈自治〉の生成
――２０１６年新潟県知事選挙と原発検証委員会

２０１６年10月16日、「保守王国」新潟で初の革新系知事が誕生した。最大の争点は、東京電力柏崎刈羽原子力発電所の再稼働問題であった。新潟では１９９６年に巻町において全国初の住民投票が実施され、東北電力の巻原発建設計画を退けた経緯があったが、ちょうどその20年後の県知事選挙でも、多くの有権者は支持政党の保革を横断して、原発（再稼働）に反対票を投じた。

沖縄の米軍基地問題などにも見られるように、地域の「安全（security）」をめぐる政治は、しばしば地域の生活や生命を「保守」する論理と中央政府の論理とが対峙する「地方保守vs中央保守」の構図となる。とくに〈3・11〉以降、原発のリスクをめぐる問題は、立地地域にとっては住民の生活／生命の安全というもっとも根源的な価値にかかわる、いわば「安全保障」問題としても認識されるようになった。[*11] また〈3・11〉の際、新潟には被災地域から数千もの避難者が来県し、原発事故の「リスク」は有権者にとって少なからず実感をともなったものであった。

当時、全県ではほぼ無名の無所属候補（米山隆一氏）が、立憲野党最大の勢力であった民進党（当時）や連合の力を借りずとも、6万票以上の差をつけて勝利した背景には、市民＋野党の共闘による戦略的効果のみならず、このような「リスク政治」の力学が存在していたと言える。野党陣営の選挙法定ビラに記載されたスローガンは、与党陣営が強調した「中央とのパイプ」に抗して、「未来への責任——権力にすり寄る知事ではなく、県民に寄り添う知事を！」であった。直前の7月に行われた、前年の「安保法制」強行やTPPの是非をめぐる参議院選挙の結果（市民と野党の共闘によって森裕子氏が当選）と相まって、新潟県知事選挙の結果は、「安全」をめぐる中央政治に対する地方からの強い異議申し立てとなった。

当選の瞬間（10月16日）。中央の米山隆一氏の隣でマイクを持つのが筆者。左が森裕子参議院議員。

新たに誕生した米山県政は、結果的に約1年半の短命に終わったものの、その次に県政を担った保守系知事にも継承されることになる「新潟県原発検証委員会」（以下「検証委員会」）の設置を実現した。〈3・11〉を検証する、いわゆる「政府事故調」や「国会事故調」以降、日本国内では本格的な検証がみられなくなっていたが、原発の安全性について、きわめて包括的な視点から、しかも地方自治体がこれを独自（予算）で検証する試みは、自治体の原子力行政の歴史においても画期的であった。

検証委員会は、原発に関する包括的な三つの検証、すな

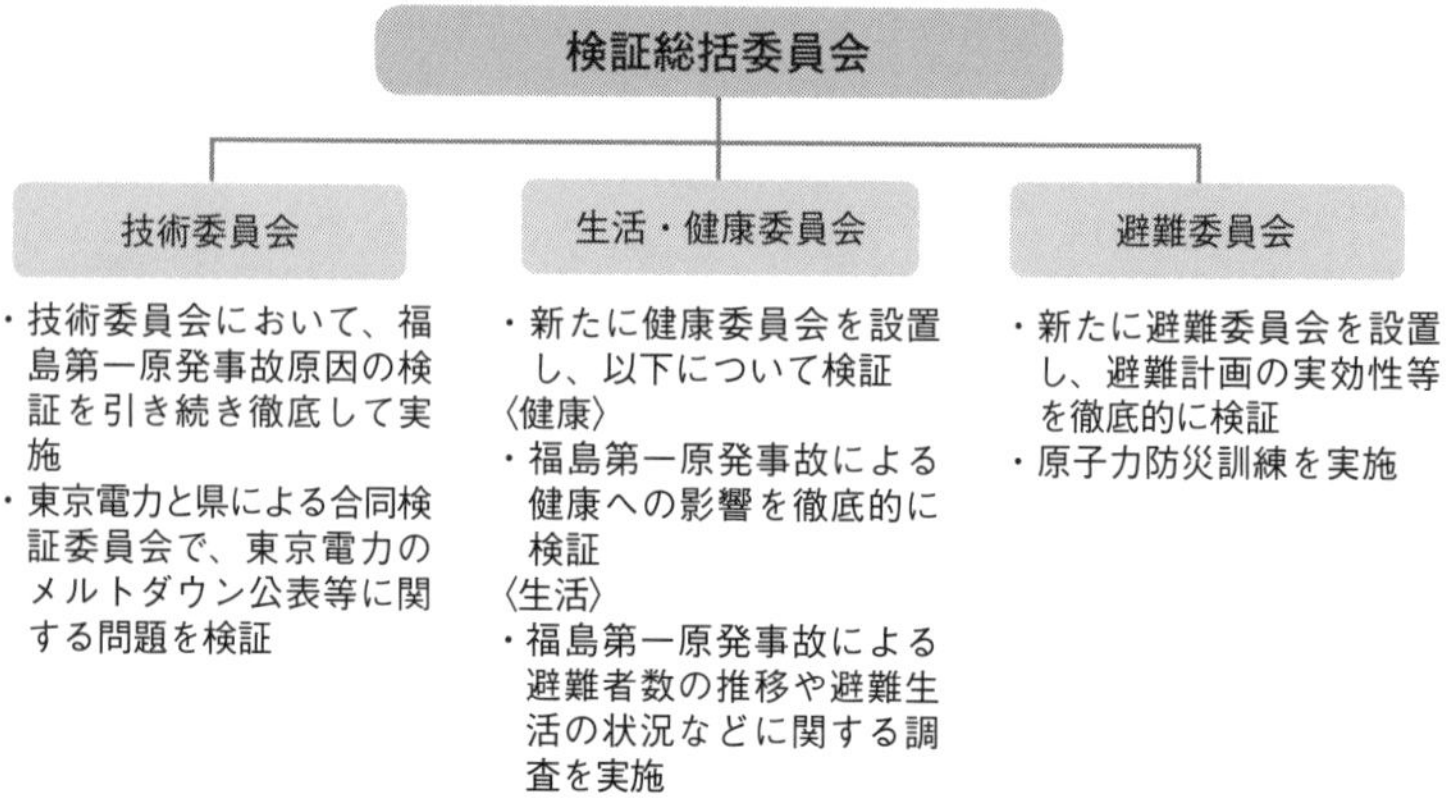
検証総括委員会
技術委員会
生活・健康委員会
避難委員会
・技術委員会において、福島第一原発事故原因の検証を引き続き徹底して実施
・東京電力と県による合同検証委員会で、東京電力のメルトダウン公表等に関する問題を検証
・新たに健康委員会を設置し、以下について検証
〈健康〉
・福島第一原発事故による健康への影響を徹底的に検証
〈生活〉
・福島第一原発事故による避難者数の推移や避難生活の状況などに関する調査を実施
・新たに避難委員会を設置し、避難計画の実効性等を徹底的に検証
・原子力防災訓練を実施

図1　新潟県原発検証委員会の構成図（筆者作成）

わち、「福島第一原発の事故原因の検証」「原発事故が健康と生活に及ぼす影響の検証」「万一原発事故が起こった場合の安全な避難方法の検証」を行い、さらにそれを「検証総括委員会」（池内了委員長）において総括する（**図1**参照）。検証委員会は、最終的には知事が原発再稼働の可否を決定するための根拠を提供する役割を担っているが、その「結論」もさることながら、領域横断的な数多くの専門家や県民をも巻き込んだ議論のプロセスそのものに、原発をめぐる「熟議デモクラシー」の実現という真の意義が存在していると言える[*12]。

　検証委員会の挑戦は、未来世代も含めた可能な限り包括的な主体が、安全／リスクをめぐる問題を自律的にとらえ返し、政策決定に参加する試みでもある。それはつまり、「政策がもたらすリスクによって影響を被るすべての主体は、その意思決定に参加する機会をもつべきである」というラディカルな環境民主主義

（エコロジカル・デモクラシー）の実践例でもあると言えるだろう。*13

＊11 近年の安全保障研究においても、「国家（政府）が、潜在的敵対国家の軍事的脅威から国益や国民の安全を軍事的手段によって守る」といった国家安全保障の伝統的な想定自体が、実際には限界があることが指摘されるようになった。安全保障政策が前提とする「脅威」も、テロリズムのような軍事的なもののみならず、経済危機、疫病、難民、犯罪、自然災害など非軍事的なものを含めた多様な対象を前提とせざるをえなくなっている。またその場合、単に脅威の内容が多様化しているというのみならず、安全保障の目的や主体、またその手段についても根本的な再検討がなされるようになった。実際に、〈3・11〉の原発事故も日本の国家安全そのものを脅かす深刻な事態であったが、単に軍事的な手段だけでは、その「安全」を回復し保障することができないという事実を世界的に再認識させる事例ともなった。「ローカル・コミュニティの安全保障」という新たなテーマについては、五十嵐暁郎・佐々木寛・福山清蔵編著『地方自治体の安全保障』（明石書店、2010年）を参照。

＊12 佐々木寛「『エネルギー・デモクラシー』の挑戦――新潟県の原発検証委員会について」（『日本原子力学会誌』第59巻12号、2017年）。

＊13 ロビン・エッカースレイ『緑の国家――民主主義と主権の再考』（松野弘監訳、岩波書店、2010年）。

4 「コミュニティ・パワー」の挑戦――「地域分散ネットワーク型社会」へ

「民主主義の下部構造」を再構築するために、地方に発するさらに大きな可能性として、「コミュニティ・パワー」（ご当地エネルギー）を挙げることができる。再生可能エネルギーによる地域開発を探求する「コミュニティ・パワー」は、すでに日本国内に大小300以上存在するとも言われるが、従来の「反原発」からさらに歩みを進め、地球温暖化問題を克服し、「脱原発」「卒原発」するための経済的・社会的な基本条件を、市民みずからが創りだす試みである。地域に存在する自然エネルギーを最大限活用し、地産地消、さらには「地産地所有」のエネルギー開発を促進することで、地域から首都圏に流出する資金や雇用を地域内に再循環させる仕組みを創りだす。新潟では、〈3・11〉の衝撃を契機に、2014年「一般社団法人おらってにいがた市民エネルギー協議会」が設立された。

地域の「エネルギー自治」によって、強靭な地域経済と実質的な民主主義を創りだす実践は、すでにデンマークやドイツ等の先進事例からも学ぶことができるが、*14「コミュニティ・パワー」の原点は、まず原発に代表される中央集権型のエネルギーシステムが、結果的には地域コミュニティからその潜在的可能性や富を流出させており、地域の分断をもたらしているという根本的な問題の自覚にある。原発自体がもたらすリスク問題はもちろんのこと、さらにはこういった「原発型社会」の転換、そして地域自治に基づく新しい分権型社会の実現こそ「コミュニティ・パワー」がめざすものにほかならない。

この「コミュニティ・パワー」の実践において、市民は実際に、地元の金融機関や行政と新たな関係を創出しつつ、みずから会社をつくり、電気や熱などの基本的エネルギーを地域に供給し、さらには農業や林業、観光分野などと連携しながら、新しい雇用や産業を生み出す。すなわち、市民はもはや単に消費者であることをやめ、まさに地域社会のつくり手（生産者）となる。無数の「コミュニティ・パワー」が、このように包括的な実践を展開し、地域を自立／自律させることで、これまでの、いわば「中央集権地方分断型社会」あるいは「エネルギー植民地主義」を下から内破する契機が生み出されるだろう。市民は、これまでのように政治的公共圏における対政府（国家）との関係にとどまらず、既存の地方行政や経済、金融、自然環境といった、より広範な分野におけるさまざまなアクターと連携し、より包括的な領域で新しい社会システムを創りだす、いわば〈文明〉転換の担い手となるのである。

近代システムにおいては、国民の生活／生命にとって死活的に重要な〈安全〉〈食（農）〉〈エネルギー〉〈ケア（医療・福祉）〉〈教育〉などの基本的諸要素は、一般的に国民国家により提供されるという前提が存在し、それはまた一定程度機能してきたといえる。しかし、このような（実はいずれも近代戦争に由来する）生活／生命の国家への依存は、過度な国家主義や全体主義の温床ともなり[*15]、さらには国家（ガバナンス）の機能が衰退するグローバル化時代を迎え、実際に前提として機能しなくなりつつある。

「コミュニティ・パワー」が描く新しい社会、すなわち「地域分散ネットワーク型社会」は、国家をはじめとする既存の政治的コミュニティそのものを否定するのではなく、ローカル・コミュニティの〈自治〉が自在に織りなすネットワークによって、既存の政治構造にボトムアップの意思決定プロセスを実現する。*16 実際、たとえば大規模停電にみられるように、中央集権型システムは災害や危機に対してしばしば脆弱である。「グローバルなリスク社会」（ウルリッヒ・ベック）の時代に、真に人々の生活／生命を防衛し持続可能なものにするためには、その基礎である、強化《エンパワー》された無数のコミュニティが多次元・多層の相互扶助のネットワークを構成する「地域分散ネットワーク型社会」への道が、むしろ現実的な選択肢となるだろう。

*14　ドイツのエネルギー転換（Energiewende）と地域の市民が果たした役割の詳細については、Craig Morris & Arne Jungjohann, *Energy Democracy: Germany's ENERGIEWENDE to Renewables*, Palgrave Macmillan, 2016. が参考になる。

*15　ハンナ・アーレント『全体主義の起原（新版）』（大久保和郎ほか訳、みすず書房、２０１７年）を参照。

*16　これは、いわゆる「補完性の原則（the principle of subsidiarity）」に基づいた社会である。この原則は、古くはアリストテレスやカトリシズムに起源をもち、デンマークの国民投票等が契機となって、ＥＵのマーストリヒト条約にも明確に謳われるようになった組織原則である。社会的な諸問題は、もっともその解決をするのにふさわしく、またその問題にもっとも近い、可能な限りローカルなレベルで対処されるべきであるという考えかたに基づく。つまり（国家などの）上位の組織が対処する問題は、個人や地域コミュニティが対処できない問題に限定される。

おわりに――「東アジア自然エネルギー共同体」へ

かつて内村鑑三が提起した脱植民地化への道は、自然エネルギーによる内発的発展の道であった。しかし振り返ってみれば、日本が位置する東アジアは、冷戦期を通じて核兵器と原子力発電所が密集した、いわば「核地域（nuclear region）」となっており、またその背景には幾重もの植民地主義の歴史が横たわっていた。東アジア諸国は1960年代から「奇跡」と呼ばれた未曽有の経済成長を享受したが、その開発政治に巣食う権威主義体制の負の遺産は、どの国においてもいまだに根強く残ったままである。しかしまた他方で、こういった歴史的事実は逆に、エネルギー転換によって当該地域の政治構造が今後大きく変容する可能性をも示唆していると言えるだろう。*17

本論は最後に、「東アジア自然エネルギー共同体」の夢を語って終えたい。未来世代のために、国境を横断して実現するコスモポリタンなエネルギー転換の構想である。

「エネルギー・デモクラシー」の先進国である台湾や韓国では、すでに政府と市民が協働したエネルギー転換へのさまざまな実践が試みられている。また、その経験についての国境を越えた交流もしだいに深まりつつある。また、世界最大の再生可能エネルギー推進国である中国でも、大気汚染問題の深刻化などから、エネルギー転換は最優先課題のひとつとなっている。こういった各国のエネルギー政策における、まさに「現実的」な要請に加えて、たとえば東アジア地域では、原発の過酷事故がどの国に発生しようとも、風向きしだいで隣国にも甚大な被害を与えてしまうという「リスク共同体」としての疑いようもない現実がある。

現在、東アジアでは、歴史認識問題や経済的対立などで、政府間交渉による関係構築が行き詰まりを見せているが、まずは共通の安全やリスクを共有することから、東アジア〈共生〉の条件を探る道が求められている。[*18] 軍事的安全保障や領土問題などのハードな争点ではなく、まずは公害対策やエネルギーの共同開発などの共通テーマから、マルチトラックで相互協力と信頼醸成を積み上げていく柔軟な国際構想が必要になっている。

ヨーロッパ共同体（ＥＵ）の起源はヨーロッパ石炭鉄鋼共同体（ＥＣＳＣ）であった。仮に将来、東アジアの平和共同体が実現するとすれば、その出発点もまた、なんらかのエネルギー共同体である可能性がある。「核地域」としての東アジアに、市民社会が国境を越えて下から創りだす「東アジア自然エネルギー共同体」の構想は、同時に東アジアにおける恒久平和の構想でもある。

＊17　この文脈で、おそらく東アジアにおける核兵器廃絶の悲願は、同地域におけるエネルギー転換（脱原子力）と連動する必要があるだろう。これまでの、いわゆる反核運動と脱原発運動のさらなる対話が求められる。

＊18　佐々木寛編『東アジア〈共生〉の条件』（世織書房、２００６年）。

解説

「おらって」10年の軌跡と奇跡――『市民エネルギーと地域主権』刊行に寄せて

飯田哲也（環境エネルギー政策研究所所長）

本書の「おらって」物語を読みながら、30年以上前に経験した北欧での「衝撃」の記憶を思い浮かべた。閉鎖的で硬直した日本の原子力ムラを脱出し、何の手掛かりもなく出かけた北欧で初めて目にした、地域エネルギーを実践する眩《まぶ》しい人々に受けた衝撃だ。

あの「衝撃」は何だったのか。エネルギーと市民社会との歴史を遡《さかのぼ》ると、石油危機と原発推進の1970年代は、世界中で反原発運動が大きなうねりとなり、デンマークではフォルケホイスコーレ（民衆高等学校）が中心となって、当時としては桁外れに大きな2メガワットの木製風力発電を造り上げ、世界初の風力発電の系統連系が試みられた。

スリーマイル島原発事故（1979年）に続いてチェルノブイリ原発事故（1986年）が起き

た80年代は、デンマークでは風力協同組合が急速に広がり、ドイツでは脱原発・脱化石燃料の市民電力、シェーナウ電力会社が誕生するきっかけとなった。

リオ地球サミットで地球温暖化問題が国際政治に登場した90年代は、デンマーク・サムソ島で自然エネルギー100％自立への挑戦が始まり、スウェーデン・ベクショーの木質バイオマス100％地域、ドイツ・アーヘン市の革新的な太陽光普及の仕組みなど、地域レベルで再エネ自立への模索が広がった。

2000年代は、9・11テロと戦争の空気が影を落とし、「失敗」に終わったヨハネスブルグ環境サミットを逆手に取って、ドイツが再エネ普及の国際的な政治的気運を盛り上げた。その気運が中国へ移転された結果、まずは風力発電の本格普及、やがて太陽光発電や蓄電池の飛躍的な普及の基礎が築かれた。そして2010年代は、福島第一原発事故で幕を開け、本書の「おらって」物語へとつながる。

どの時代でも、「おらって」のような地域エネルギーをめぐる物語は、国内外で澎湃《ほうはい》として無数に沸き起こってきた。そのひとつひとつの物語は違っているが、どれにも共通している理念がある。それが「エネルギー・デモクラシー」であり、「コミュニティ・パワー」とも呼ばれる。

ここでの「パワー」は、電力であると同時に権力の意味も重ねられている。

エネルギー源の選択も、その所有や意思決定、便益の分配のありかたも、「政治」そのものであることが、これらの歴史を一瞥《いちべつ》すれば明らかだ。ウルリッヒ・ベックが『リスク社会』（１９８６年）で明示した通りである。本書で触れられているペトロ・マスキュリニティ（石油産業における権威主義的な男らしさ）も、間違いなく政治的側面だ。日本の政治中枢を支配する「原子力ムラ」も、きわめて権威主義的な男らしさを価値とする政治的な存在であり、「原子力マスキュリニティ」と名付けてもよいかもしれない。地域エネルギーとは、そこから「電力」と「権力」を市民と地域に取り戻す、政治的運動なのである。

２０１３年の秋に、佐々木寛先生に初めてお目にかかった日のことを昨日のように思い出す。本書中にもある通り、「にいがた市民大学」のゲスト講師に呼ばれ、講演後の懇親会では新潟の極上の日本酒と食をいただきながら（これはその後もずっと恒例となるのだが）、佐々木先生をはじめみなさんと深く熱く語りあった場で、「おらって」誕生につながる最初の「発火」が生じた。

それから「おらって」が歩んできたこの10年は、地球規模で見ても、文字通り化石燃料文明から太陽エネルギー文明への「文明史的転換」の始まりの10年と重なった。10年前は、世界全体の電力供給のうち太陽光発電と風力発電でわずか１％余りだったが、２０２３年末にはおよそ15％となり、再エネ全体では世界の電力の30％を超えた。２０２３年末の気候サミット（ＣＯＰ28）では、２０３０年までに再生可能エネルギー設備の３倍増を合意した。これは、これから数年で世界の電力の大半を再エネに切り替えるという合意を意味する。

この急激な再エネ拡大を目の前にしたいま、「おらって」をはじめとする世界中の地域エネルギーが歴史的に積み重ねてきたエネルギー・デモクラシーはますます重要となる。地域の頭越しに勝手に広がってゆく洋上風力発電群のような「原発型」再エネではなく、エネルギーの文明史的転換を私たちの手に取り戻し、自分ごととして、みずから推し進めてゆく。世界中に広がっている無数のコミュニティ・パワーこそが、その担い手になると信じている。

あとがき

飯田哲也さんの解説にあるように、「おらって」の試みは、エネルギー・デモクラシーのために日々世界中でつくられている、たくさんの物語のひとつにすぎません。読者のみなさんが、この小さな経験から生まれたことばの断片から、わずかでも明日への希望のヒントを得ることができたなら、これほどうれしいことはありません。

本書を完成するうえで、私がもっとも信頼する編集者のひとりである大月書店の岩下結さんには、多大なご尽力とご教示をいただきました。また、新潟国際情報大学の同僚たちの後押しで、大学より多額の出版助成をいただいたことも付記しておきます。そして何よりも、「おらって」副代表の横木将人さんや横山由美子さんをはじめとする理事・運営委員のみなさん、そして会員の皆様なしに本書は生まれませんでした。本書をまず誰よりも、これまで「おらって」を支えてくださり、これからも応援してくださるすべての皆様に贈りたいと思います。

２０２４年5月19日

佐々木寛

著者　佐々木 寛（ささき ひろし）

1966年香川県生まれ。新潟国際情報大学国際学部教授。専門は国際政治学・平和研究・現代政治理論。「一般社団法人おらってにいがた市民エネルギー協議会」代表理事として市民発電事業を通じた持続可能な地域社会の実現に取り組む。日本平和学会理事（第21期会長）。市民連合運営委員。著書に『市民政治の育てかた――新潟が吹かせたデモクラシーの風』，共編著に『3.11からの平和学――「脱原子力型社会」へ向けて』（明石書店），訳書にオリバー・リッチモンド『平和理論入門』（法律文化社），ポール・ハースト『戦争と権力――国家，軍事紛争と国際システム』（岩波書店）ほか。

装幀　m9デザイン
DTP　編集工房一生社

市民エネルギーと地域主権　新潟「おらって」10年の挑戦

2024年6月21日　第1刷発行

定価はカバーに表示してあります

著者　佐々木寛
発行者　中川　進

〒113-0033　東京都文京区本郷2-27-16

発行所　株式会社　大月書店

印刷　三晃印刷
製本　中永製本

電話（代表）03-3813-4651　FAX 03-3813-4656　振替00130-7-16387
http://www.otsukishoten.co.jp/

ISBN978-4-272-33114-7 C0036　Printed in Japan